中国の電撃侵略

2

Kadota Ryusho
門田隆将

Seki Hei
石平

産経セレクト

S-021

【巻頭提言】

「自由」対「独裁」決着の時へ

門田隆将

米大統領選で起こったこと

バイデン米大統領で世界はどうなるのか。

大混乱のなかスタートしたジョー・バイデン民主党政権に世界の危機を懸念する声が消えない。

理由は、いうまでもなく「中国」である。

信じがたい隠蔽によって新型コロナウイルスを拡げ、戦後最大の悲劇を世界にもたらした中国。二〇二一（令和三）年一月二〇日、世界の感染者は九六〇〇万人、死者は二〇〇万人を突破した。このコロナ禍に関して謝罪するどころか、「対応に成功した」と自画自讃のうえ、「世界は感謝せよ」と傲然と言い放った国である。

私は二〇二〇年、『疫病２０２０』（産経新聞出版）を上梓し、武漢の惨状、中国政府の隠蔽の裏に何があったのか、また中国が人民の命を助けるために投入した五種類の薬品をはじめ、コロナに関して日本を含め知られざる出来事を描写した。

日本やアメリカ、イギリス、フランス、ドイツといった国際社会をリードする先進民主主義国は、強力な感染力のこのウイルスにまったく無力だった。

いとも簡単にウイルスの侵略を許した各国は、ただ手を拱き、日を追うごとに感染者と死者を増加させていった。国際社会をリードする国々が、「何もできない」というパンデミックが現実となったのである。

最も甚大な被害を被ったのはアメリカだった。

米国内の感染者は一月二〇日現在、二四〇〇万人、死者は四〇万人を超えた。第二次世界大戦の戦死者を遥かに凌駕する数である。

失業率を半世紀ぶりに三・五パーセントという低水準に下げ、ＧＤＰ（国内総生産）ではオバマ時代に比べ、二兆八〇〇〇億ドル増加という驚異的な上昇を果たしたトランプ政権。「再選」を盤石にしていたドナルド・トランプ氏は、この悪魔のウイルスをきっかけに政権を手放すことになったのだ。

しかし、大統領選には、開票直後から「不正がおこなわれた」との告発が相次いだ。ペンシルベニア、アリゾナ、ジョージアなど激戦州で不正を調査する公聴会も開かれ、多くの宣誓証言と不正を証明する映像が飛び出すアメリカ大統領選史上、例をみない異常事態となった。

「背後に中国がいる」

「大量のニセ投票用紙が中国からカナダ経由で運ばれた」

……等々、中国の関与を示唆する憶測も飛び交った。だが、たしかな証拠は提示されなかった。

国民の耳目を集めたのは、具体的な不正のありさまが目撃者や統計の専門家らによって直接、証言されたことである。

公聴会での宣誓証言は、虚偽である場合は処罰（注／罰金もしくは五年以下の自由刑）の対象となる。もちろん公聴会に出ること自体が職場や隣近所で波紋を起こす場合もあり、勇気を振り絞っての証言になる。

ペンシルベニアの公聴会では、ニューヨークから約一〇万人分の偽造の郵便投票用紙をトラックに載せ、ペンシルベニア州内にある投函所に配った運転手が「民主党の組織から依頼されて、私がやりました」と告白したことが話題を呼んだ。

また、多くの開票所の監視カメラに映し出されていた不正の証拠も、トランプ支持者たちの目を釘づけにした。

これらの不正は、二〇年一二月一七日、カリフォルニア大学の経済学者で、国家通商会議（現・通商製造業政策局）議長も務めたピーター・ナヴァロ大統領補佐官の報告書にまとめられた。

ナヴァロ氏は、日本でもベストセラーとなった『米中もし戦わば』（原題 Crouching Tiger: What China's Militarism Means for the World）で知られる著名な学者である。そのナヴァロ氏が不正の実例を詳細に分析し、具体的な証拠や宣誓証言に基づいて出した報告書は内外から注目を集めた。

公聴会に出た証拠や証言を中心に、先に挙げた例のほかに、さまざまな事象が明かされていたからだ。

例えば、ジョージア州アトランタでは、バイデン陣営の一員が投票用紙を自分の所持品から多数取り出し、それらを開票したものの中にもぐりこませるようすが監視ビデオに収められていた。

また同じジョージア州のフルトン郡では、これに似た決定的な映像も公開された。朝早く開票所の机の下にスタッフが四つのスーツケースを隠し、それらを深夜に取り出して集計するありさまを監視カメラが捉えていたのである。

「水道管が破裂したので退去してください」

先にそんな知らせがあり、選挙監視員たちが開票所から追い出された上での出来事である。残った四人のスタッフは、あらかじめ隠してあったそのスーツケースを引っ張り出し、中から投票用紙を取り、集計したのである。

実際に、この時間帯にバイデン票は一挙に加算されており、ほかの州でも、のちに〝バイデン・ジャンプ〟と称される「一瞬で大量の得票が加わる現象」が明らかになっている。公聴会では、数学的に明らかに不正が行われたとみられるデータの読み方も学者から指摘された。

買収についても数多くの告発がなされた。

ネバダ州のネイティブ・アメリカンの居留地近くでバイデン陣営の運動員たちが先住民たちに対して「一〇〇ドル相当のプレゼント」と引き換えに投票を依頼するよう

すが撮影されていた。ほかの州でも、さまざまな形での買収が告発された。

また死者による投票、州外に移転した住民による万単位の投票なども、具体的に報告された。

ドミニオン疑惑を巡る攻防

疑惑の集計機・ドミニオンをめぐる攻防も興味深いものだった。調査に対してほとんどの州が非協力だったが、なかには例外的に協力する州もあった。

全米から注視されたのは、ミシガン州アントリム郡である。

ここでは、投票結果が二転三転した。まず、一一月三日の選挙日当夜から翌朝にかけて、同郡ではバイデン氏がトランプ氏より三〇〇〇票以上のリードとなった。

しかし、二日後、今度は逆に二五〇〇票差でトランプ氏リードと訂正された。さらに一一月二一日には、手作業で投票用紙が再集計され、トランプ氏のおよそ四〇〇〇票差での「勝利」との認定になったのだ。

当初、アントリム郡が使用していたのは疑問視されているドミニオンであり、手作業による集計ではなかった。両陣営からの抗議はやまず、ついに裁判所が第三者機関による監査を命じることになった。

裁判所は第三者機関として「Allied Security Operations Group」を指定し、ここが本格的にドミニオンの司法監査に乗り出したのである。

監査が無事終了し、裁判所に提出された鑑定報告書には、驚くべき文言が並んでいた。

「鑑定の結果、集計の誤りは、六八・〇五パーセントに及んでおり、これは、安全性と選挙の完全性において、重大かつ致命的な数字である」

「当該の選挙結果は認証不可能である」

「ドミニオンは、意図的に不正集計されるようあらかじめデザインされたものと認められる」

専門家による司法監査だっただけに衝撃は小さくなかった。

監査にあたったAllied Security Operations Group の責任者、ラッセル・ラムズランド氏はこう述べている。

「ドミニオンの投票システムは、意図的に投票ミスを生じさせている。ミシガン州はドミニオンの投票システムを使用すべきではない。アントリム郡のドミニオンの投票集計結果は認定されるべきではない」

これを受け、同郡では選挙人団の投票も終わったあとの一二月一六日、手作業で投票を再集計した。その結果、トランプ「九七五九票」、バイデン「五九五九票」で確定したのである。

ミシガン州全体では、バイデン氏はトランプ氏に一五万四〇〇〇票の差をつけて勝利したことが認定されている。だが、実際の当選者は本当は「トランプ氏ではないか」との声が消えなかったのは、この司法監査による。

トランプ陣営にとっては「当然の結果」ということになるが、ドミニオン疑惑は、ほとんどの州で調べに入らないまま訴えが退けられたり、投票記録が消去されるという証拠の隠滅がおこなわれ、トランプ側が納得する正当な結果が得られることはなかった。

ミシガン州アントリム郡のこの監査結果も、全米にこれが波及することを恐れた民主党陣営は監査自体が「正当でなかった」と主張し、例えば、デトロイト・ニュースはすぐに、

「六八パーセントの〝エラー率〟というデータが具体的に何を指しているのか、それ

が結果にどう影響するのかもまったく不明である」との論評記事（二〇二〇年一二月一四日付）を掲げ、この結果によるダメージを最小限に抑える役目を果たしている。日本では考えられない、あらゆるものが攻撃の対象となる両陣営の争いの凄まじさが窺える。

しかし、連邦選挙委員会が容認できる投票機のエラー率は「〇・〇〇〇八パーセント」であり、専門家の間では、ケタ違いの司法監査結果が出たことに驚きと共に、「公正な選挙」に対する根本的な疑念が生じたのは事実である。

ナヴァロ・レポートは、このドミニオンの問題について「開票機械の不正」の項目で触れ、ほかにも「明白な有権者詐称」「投票の不正操作」「投票プロセスでの反則」「平等保護条項違反」「激戦六州の統計的異常」という全六項目に分けて不正選挙の実態を列挙している。

政府や議会にこれらをもとに本格的な調査の必要性を訴えたのである。

連邦最高裁の「使命放棄」

だが、これらの告発も虚しい結果に終わる。

そもそもナヴァロ・レポートが出る前に、民主主義国として「自殺行為」とも言うべき司法判断がすでに出ていたからだ。

一二月八日、数々の不正行為が許せなかったテキサス州が、ペンシルベニア、ミシガン、ジョージア、ウィスコンシンの四州を連邦最高裁に訴えた。

四州が「大統領選の手続きを不当に変更し、選挙結果を歪めた」ために、正当に選挙を行った自分たちテキサス州が「妥当な選挙結果」を得ることができなかったというのである。「これは憲法の平等保護条項に違反している」として連邦最高裁に訴え出たのだ。

この訴えに全米一七州が同調し、米下院の共和党議員一二六人も支持表明を行い、連邦最高裁に対して意見書を提出する事態になった。

連邦最高裁には、州最高裁からの上訴審としての役割と、憲法判断に関するもの、そして州同士の争いを裁くという役割があり、まさに連邦最高裁の「出番がやってきた」ことになる。

二日後、訴えられた四州は答弁書を提出する。ペンシルベニア州は、「法律的にも、事実に関してもテキサス州の訴えには根拠がない。これは司法手続の煽動的乱用である」と猛反発した。真っ向から争う姿勢を示したのである。

連邦最高裁の判断が出たのは、翌一一日である。

連邦最高裁は、訴えられた四州を支持し、「テキサス州には他州の選挙に訴訟を起こす法的利益がない。原告適格性を欠いている」として、これを退けたのだ。

九人の判事のうち審理を開くことに賛成したのは二人のみで、保守系判事六人のうち四人まで「開く必要なし」とした。

これには、直後からジョン・ロバーツ首席判事がオンライン会議で他の八人の判事を怒鳴りつけ、訴えを受理しないよう要求した結果だ、という情報が流れた。あり得ない結論に不満だった判事か職員による「リークだろう」との観測である。

九人のうち「最低四人の判事が賛成」すれば審理は開かれるので、たとえ保守派に造反者が二人いても大丈夫だっただけに、トランプ支持者は仰天し、失望した。

しかも、噂となったそのロバーツ首席判事は二〇〇五年にジョージ・ブッシュ大統領によって指名を受けた保守派判事だっただけに、失望は余計大きかった。

司法が政治への介入を嫌うのは、先進国に共通している。つまり、「政治の世界のことは政治の側で決めてください」ということだ。

だが、今回は、公正であるべき選挙の根幹が揺らいでいる大問題であり、真相究明は民主主義の存続に大きな意味を持つものである。

つまり、政治の世界にはできるだけ立ち入らないという司法の常識や慣例があろうとなかろうと、「民主主義国家の司法として、本来の使命を果たすべきだった」ことは言うまでもない。

こうしてアメリカ公民が持っている権利は否定され、最高裁は民主主義の崩壊に〝知らぬ顔〟を決め込んだのである。これだけの数々の不正選挙の告発に対しても「結果が出た以上は、不正があってもそれでよし」としたわけである。まさに「民主主義はこうして滅びていく」という壮大なドラマを全世界が目撃することになったのだ。

できるだけ関わりたくないという連邦最高裁の姿勢は、ほかの訴訟でも見られた。トランプ陣営が提起したペンシルベニア州での郵便投票法をめぐるものだ。

同州の郵便投票の手続き変更は違憲であるとして訴えたものだが、連邦最高裁はこれを一二月二三日に正式に受理した。

だが、トランプ陣営が一月六日の連邦議会の上下両院合同会議までに判決を出すよう要求したのに対し、連邦最高裁は、回答期限を次期大統領が就任した後の「一月二〇日」に設定した。審理はする、だが、大統領選の結果に「直接かかわらない方式でやる」ということである。

政治への影響を徹底的に排除したい連邦最高裁らしい決定と言える。誰が見ても、大統領選挙における不正行為について、連邦最高裁が憲法判断を回避する姿勢を示しているのは明らかだった。テキサス州の訴えが門前払いになったのも頷ける。

各州の裁判所も含め、その姿勢は一貫していたと言える。アメリカの司法制度や、そういった事情を知らない人々が、日本と同じような審理の末に「裁判で負けた」と思い込み、「不正はなかった」と主張している向きは少なくない。

だが、真実は「審理した」のではなく、司法界が審理の多くを回避し、「門前払い」にして、中身に踏み込まなかったというのが正しい。

これら司法の使命放棄も、二〇二一年一月六日と、それ以降に起こった言論弾圧事件に比べれば、まだ影が薄くなるかもしれない。

一月六日午後、二〇年一二月一四日に投票された各州の選挙人団の投票結果を認定するため、その上下両院合同会議が開かれた。選挙人団の投票結果は、「バイデン三〇六票、トランプ二三二票」であり、そのままならバイデン氏当選確定となるはずだった。

しかし、トランプ陣営は一貫して「不正によって選挙結果は歪められており、真の勝利者は自分である」と主張している。激戦六州にニューメキシコ州を加えた七州で、選挙結果への「異議申し立て」がおこなわれることになっていた。

二〇一六年にトランプ氏と最後まで共和党大統領候補を争ったテキサス州のテッド・クルーズ上院議員は、抵抗の意志をこう表明していた。

「われわれは論争になっている州の選挙人の投票結果の受け入れを拒否する票を投じる。今回の選挙では、不正投票や選挙法の違反、あるいは選挙法の不徹底など、投票においてさまざまな不規則な行動が前例がないほどあったからだ。

一八七七年に与野党両党が三州で共に勝利を主張したため、超党派の調査委員会が設置された先例がある。われわれは異議が唱えられている州で一〇日間かけて投票用紙を緊急監査するよう求める。

この監査が終了後、それぞれの州は調査委員会の結論を精査し、必要とあれば投票結果の変更を認定するため、州議会の臨時会を招集することができる。われわれは、そのことを要求する」

これに一〇人の共和党上院議員が同調し、さらに下院議員も約一四〇人が賛成の意思表示をおこなった。果たして一八七七年以来となる異例の出来事が起こるのか、それとも選挙人団の投票通りに、あっさりバイデン当選が決まるのか。

上下両院合同会議のすべてを取りしきるマイク・ペンス副大統領がどう出るか、世界の目が一点に集中したのである。

SNS企業の〝驕り〟と〝犯罪〟

トランプ大統領は、ワシントンDCでの抗議集会を呼びかけた。

一〇〇万とも、それ以上ともいわれるトランプ支持者が続々と詰めかけた。だが、予想外のことが起こった。群衆の一部が連邦議会で審議が始まった直後、議会内に侵入したのである。肝心の審議がストップするという異常事態である。

敵対する左翼過激派集団のアンティファが「窓ガラスを割り、混乱を引き起こした」というものや「なぜか群衆を招き入れる警備の人間がいた」、いや「最初から議会に乗り込もうとするトランプ支持者がいた」……等々、未確認情報が交錯した。

たしかに二〇〇〇人ほどいたとされる警備担当の議会警察は、侵入を阻止しようとする者と、招き入れたり、侵入者の自撮り写真に一緒にポーズを取って応じる者などがいたり、場所によってまったく異なる対応となった。

午後三時、議会議事堂の建物内で銃声音が響き、女性のトランプ支持者が議会警察の発砲により死亡する事件が発生。そのほかにも議事堂周辺で計四名の死者が出た。審議は混乱を受けて中断した。

トランプ氏は緊急にツイッターに動画を投稿し、「アメリカは平和でなければならない。家に帰ろう。私は、あなたたちを愛している」と支持者に訴えた。

五時間の中断の後、審議は再開された。もはや共和党に戦う気力はなかった。各州の選挙人団の投票は承認されていった。一方的なバイデン勝利である。

勢いづいたのは、民主党である。

一気にトランプ大統領を政治的に葬るチャンスが生まれたのだから無理もない。

「暴力を煽った大統領」「弾劾、解任すべし」

民主党のナンシー・ペロシ下院議長がそう叫び、メディアも一斉にトランプ非難を加速させた。

彼らの根拠は、一二月一九日にトランプ氏が投稿した一本のツイートである。トランプ氏は、完璧なナヴァロ・レポートに対して、そして一月六日の合同会議について、〈素晴らしいレポート。二〇二〇年の選挙に私が敗れたことは統計的にも不可能である。一月六日のワシントンDCでの大抗議。そこにいて、ワイルドになろう（Be there, will be wild!）〉

そう投稿していた。これをもって、民主党も、ほとんどのマスコミも「トランプは暴動を煽った」との報道一色になった。

しかし、一月六日当日、集まった群衆に対して直接、演説したトランプ氏は、

「私たちは議事堂まで歩き、勇敢な上院下院議員を応援する」

「平和的、かつ愛国的にあなたの声を聞かせるのです（peacefully and patriotically make your voices heard）」

と、わざわざ"peacefully"という言葉を用いて支持者に呼びかけていた。

だが、九割が民主党支持という特殊なアメリカのメディアは、この当日の"peacefully"ではなく、三週間近く前の一本のツイートにあった"wild"という言葉を殊更強調し、国民にアピールし、「定着させた」のである。

騒動五日後の一月一一日、民主党は下院で「直前に開かれていた集会で大統領みずから議会に向かい抗議するよう呼びかけていた」として、トランプ大統領の罷免を求める弾劾訴追の決議案を提出した。

一般の刑事事件では「起訴状」にあたる決議案で「トランプ大統領は政府への暴力を煽るという重罪に関与した。大統領自体が国家安全保障と民主主義への脅威であり続ける」との理由を示したのである。

民主党のパフォーマンスとメディアの偏向報道は、濡れ衣を見事にトランプ氏に着せることに成功したと言える。

しかし、暴動煽動の事実確認もなければ、弁護の機会も与えられず、公聴会も開かれない上での弾劾に、自由と民主主義を重んじるアメリカの変貌を感じる議会人は少なくなかった。

弾劾成立には、最終的には上院の三分の二の賛成が必要なため、最初から成立の可能性はほとんどない。だが、民主党にとっては、トランプ氏が二度と再起できないように徹底的に叩きのめす必要があった。それは、歴代大統領史上最多の「七五〇〇万票」という恐るべき大量得票をした圧倒的人気の政治家だったからである。

民主党支持を露骨におこなうＳＮＳ企業は、ここで驚くべき政治的行動に出た。ツイッター社が「トランプ氏には、暴力を煽るリスクがある」として、そのアカウントを永久停止にしたのである。八八〇〇万人ものフォロワーを誇る同氏のツイッターアカウントはこうして一瞬で消えた。

私自身もトランプ氏のツイッターのフォロワーの一人だったが、氏の投稿に暴力を煽るものなど、過去一度もない。

選挙後、トランプ氏が訴え続けたのは、不正選挙についてである。民主主義を根底からひっくり返すものとして、ツイートでこのことを糾弾しつづけたのは事実だ。

しかし、ツイッター社は、これらトランプ氏の投稿に〈このツイートで共有されているコンテンツの一部またはすべてに異議が唱えられています〉という警告表示を常時つけていた。そのこと自体も大いなる逸脱行為と言えるだろう。

彼らはなぜ「選挙で不正はなかった」と言い、トランプ氏の投稿を遮(さえぎ)ることができるのか。ＳＮＳを含む独占企業のビッグテック（注／グーグル、アップル、フェイスブック、アマゾンなど）の前では、「言論の自由」などそもそも存在しないのだ。自分たちが「不正はない」側につくなら、「不正は存在しない」という主張のみを延々と打ち、それに反する言論は隠蔽し続けるわけである。

今回、フェイスブックもツイッター社に追随し、ただちにトランプ氏のフェイスブックも無期限停止となった。アメリカ大統領の言論などビッグテックにかかれば、簡単に消されることに世界は驚愕した。

異論を許さない全体主義にアメリカが確実に向かっている――そのことを嫌でも受け止めなければならない現実だった。

歴史的な「言論封殺」への転換

彼らＳＮＳプラットフォーム企業は、そもそも「第三者が投稿した内容」に対して責任を問われることがないよう「通信品位法」第二三〇条で守られている。

しかし、その保護を享受しながら、一方で政治的な意図に基づく編集・操作・停止の権限を発揮することが許されるのだろうか。

トランプ氏はツイッターに変えて二〇一八年にスタートしたParlerというＳＮＳを利用しようとしたが、今度はアマゾンがParlerにいきなりサービス停止を通告。ビッグテックは徹底したトランプ氏のＳＮＳ利用潰しを続行した。

Parler のCEO（最高経営責任者）は、FOXニュースの取材に対して「ビッグテックに協力しなければ会社を潰すと言われた」と告白し、怯むことなくアマゾンを独占禁止法違反、さらにはユーザーへのビジネス干渉という契約違反で訴えた。

ツイッターやフェイスブック、アマゾンといったビッグテックの判断を讃えていた米マスコミに冷水を浴びせたのは、ドイツのメルケル首相である。

「表現の自由の制限を運営会社の経営陣がするのはおかしい。これができるのは立法者だけであるべきだ」

正論である。人類が長い時間と多くの犠牲をもとに獲得した崇高な言論の自由に私企業が「制限を加える」ことなど許されるはずがない。トランプ氏との関係は必ずしも良好とはいえなかったメルケル氏の言葉は、この問題の深刻さを物語っている。

表現の自由の制限が必要というなら、それは国民の負託を受けた立法者のみによって議論されるべきだという、まっとうな意見はこうして発信された。

本来、その自由を守るべき立場にあるジャーナリズムは、アメリカも、日本も、これを「肯定」し、「圧殺」する側にまわったことを私たちは忘れてはなるまい。

編集権を行使する一方で、法的責任は取らず、大統領の意見表明さえ潰す巨大企業。

驕りで目が眩み、しかも、企業の意思を左右するボードメンバーに中国人が入り込んでいることに、自由の砦・アメリカは「なす術がない」のだろうか。私たちは危機感をもって注視しなければならない。

二〇二〇年一〇月二八日、私はこれらビッグテックの横暴が白日の下に晒される事態があったことを思い出す。政治は、彼らの驕りをただ「放置」していたのではなかった。

この日、米上院商業科学運輸委員会は公聴会を開き、フェイスブック、ツイッター、グーグルのCEOを召喚して厳しい意見を浴びせたのである。

ツイッターとフェイスブックは、バイデン父子の中国スキャンダルの報道を「閲覧不可」にし、一方では、トランプ氏と共和党支持者のアカウントを一時停止したり、警告付きにしたり、あるいは凍結して、バイデン氏に不利な情報が拡散されることを阻止するなど、この時点で露骨な政治活動を展開していた。

アリゾナ、フロリダ、ノースカロライナの三州で大がかりな調査を実施したアメリカ行動科学研究所によれば、グーグルはバイデン氏に有利になるよう検索結果の「順番」まで操作し、民主党支持者のネット画面だけに「投票を促す表示」を出していたことも明らかになっていた。

あまりに露骨、かつ不当な検閲が罷り通り、さらに狙い打ちした特定のアカウントを根拠のないまま凍結する行為に対して、心ある米国民は驚き、呆れた。

前述のように現在のインターネットの興隆を招いたのは、米国通信品位法の第二三〇条である。たとえ問題のあるコンテンツが投稿されても、サイトを運営する者は、そのことに対して「責任を負う必要がない」という規定だ。この免責条項によって彼らは成功し、ここまで肥大化したのである。

その利益を享受し、絶大な力を持つようになったビッグテックがおこなっていることに、政治、特に共和党は我慢ならなかった。同党上院議員たちは、民主党という特定の政治勢力に加担して編集権を行使し、露骨な干渉をおこなう彼らを糾弾した。

ツイッター社のドーシーCEOは追及に対して、こう弁明している。

「わが社に選挙への影響力はありません。通信品位法二三〇条の基礎が崩れれば、オンラインでのコミュニケーションが大きく損なわれることになります」

またグーグルのピチャイCEOも同じくこう釈明した。

「グーグルは政治的バイアスなしに運営しており、そうしなければ社の利益に反することになります」

さらに、フェイスブックのザッカーバーグCEOはこう述べた。

「通信品位法が改正されるなら、私たちはそれを支持します。ただ二三〇条が廃止されれる場合は、私どもプラットフォーマーは法的リスクを回避するために、さらに検閲をおこなう可能性が高くなります」

この注目の公聴会をロイターはこう報じている。

〈三人とも、プラットフォーマーが出版社のように振舞う場合は〝責任を問われるべきである〟との考えに同意した。しかし、政治的発言の内容チェックは〝していない〟と否定した〉

アメリカを代表する富豪となったCEOたちは、上院議員たちの質問に戸惑いながらも、その姿勢を崩さなかったのである。この公聴会を実現させたことで、自由と公平、正義を愛するアメリカという国の「偉大さは示された」とも言えるだろう。

しかし、それも〝束の間〟だった。

彼らが猛然と反撃に出たのが、先のトランプ氏のアカウント永久停止にほかならなかった。いつのまにかオールドメディアや、いや大統領やアメリカ政府さえも凌駕する力を持つようになっていた彼らは、言論の自由を否定し、「自分たちの意見だけが通る社会」の実現に向かって突っ走っているのである。

かくして「選挙に不正があった」は〝謀略論〟のひと言で片付けられ、ビッグテックのやりたい放題を許す国にアメリカは姿を変えた。国内では、そのことへの非難も封殺されたのである。

投票前の二〇二〇年一〇月には、彼らを召喚して問い質す力がまだアメリカには残っていた。だが、二〇二一年、バイデン政権成立が判明した途端、それらは崩れ去ったのである。

中国にひれ伏す媚中派と日本

最大の敵・トランプ氏の退場で習近平氏が香港弾圧に「容赦しなくなった」のは、今後の世界の動向を占うものと言える。

世界の耳目がワシントンに集中していた一月六日、香港では「国家転覆を狙った」として香港国家安全維持法違反の疑いで立法会の民主派前議員や区議会議員など計五三人が警察に逮捕された。

二〇二〇年七月におこなった立法会選立候補の予備選挙に関わったことが「政府の機能を妨害し、国家政権の転覆を狙った」ことになるのだそうだ。滅茶苦茶である。

理屈はこうだ。「予備選は、立法会の過半数を占めることで政府の予算案を否決し、香港政府トップの行政長官を辞任に追い込むことなどを目標に掲げたものである。こうした目標そのものが法律違反にあたる」というのだ。

つまり、当局に異論を持つ者は投獄するということ。全体主義国家・中国の面目躍如である。アメリカが全体主義に向かって驀進（ばくしん）を始めた今、そしてバイデン政権の誕生で習近平氏にとって〝怖いものはなくなった〟ことを示す典型的事象だった。

トランプ政権が続けば、二〇二二年秋の「第二〇回中国共産党全国代表大会で退陣もありうる」との予測もあった習氏にとって、バイデン政権誕生はそれほど歓迎すべきことだったのだ。

中国共産党が掲げる「二つの百年」という奮闘目標に対して、なんの障害もなくなったのである。「結党百周年」の二〇二一年、「建国百周年」の二〇四九年の二つがそれである。

二〇三五年までに「社会主義現代化」を実現し、建国百周年の二〇四九年までに

「中華民族の偉大なる復興」を成し遂げ、世界の覇権を奪取するという目標に大きく立ちはだかっていたトランプ氏の退場と、習氏の〝盟友〟バイデン氏の登場で、その実現が具体的になってきたと言っていいだろう。

台湾侵攻が「あるか、ないか」ではなく、もはや「いつあるのか」に焦点が移ったことを本文で確認していただきたく思う。

昨日のチベット・ウイグル、今日の香港、明日の台湾――もはや、それは紛(まが)うことなき現実として、私たちの目の前に迫っているのである。

中国の台頭と膨張によって、彼らの〝力による現状変更〟の危機が日本にも近づいている。尖閣を「核心的利益」と表現し、「台湾の独立分子は武力で排除する」と強弁する中国に、では、日本はどんな〝備え〟をしているのか。

二〇二〇年一一月二四日、来日した王毅外相は、茂木敏充外相との会談を終えた後、二人で会見に臨んだ。ここで王毅氏は、

「釣魚島（尖閣の中国名）の情勢、事態を注視している。ひとつの事実を紹介したい」

と記者たちに語りかけた。

「真相がわかっていない日本の漁船が〝敏感な水域〟に入る事態が起きている。中国

側としては、やむをえず、必要な対応をしなければならない。中国は引き続き主権を守っていく。敏感な水域で事態を複雑にする行動は避けるべきだ」

地元・石垣島をはじめ、日本の漁船は粛々と法令に基づいて操業している。しかし、その漁船に対して「中国の水域に入ってくるのは不当」との暴言を吐いたのである。

しかし、驚いたのは、茂木外相の対応だ。その言葉を薄笑いを浮かべて聞いていた茂木氏は、抗議もおこなわず、あろうことか会見の終わりに中国語で、

「謝謝（シェイシェイ）（ありがとう）」

とお礼まで述べたのだ。

「石油資源など膨大な海洋資源があると思われる」との国連による海洋資源調査結果が明らかになる一九七〇年まで、尖閣を「自国の領土」などと言ったこともなかった中国。急に乗り出してきたかと思うと、平気で「事態を複雑にする行動」を展開しているのは当の中国である。

盗人猛々しいとは、このことだろう。

建国後、一貫して〝力による現状変更〟をくり返し、他国の領土・領海を自らのものとし、堂々とそれを主張し、開き直るパターンは、国際社会が目撃してきたとおり

である。

その中国にODA（政府開発援助）を三兆円も提供してきた竹下派（現在の平成研）に所属する茂木外相にとって、中国に〝強く出る〟ことなど、とても無理であることを示す象徴的な場面だった。海警による常習的な領海侵犯で実効支配をアピールし続ける中国のしたたかな外交が二枚も三枚も上まわっていることを国民は思い知ったのである。

翌二五日、菅義偉（すがよしひで）首相との会談後、王毅外相は記者団に対して、

「偽装した日本の漁船が繰り返し、敏感な海域に入り込んでいる」

と改めて傲慢理論を展開した。一連の展開に加藤勝信官房長官はこう弁明した。

「日本の立場は外相会談、そして共同会見の場でも伝えている。共同記者会見は、日中双方が一度ずつ発言する形式になっていたものだ。王毅氏の発言に、〝受け入れられない〟と申し入れた」

一度ずつ発言をする機会しかなかったから仕方がない、という情けない言い訳である。これが北京での中国政府による一方的な会見設定で「発言を封じられた」というのなら、まだ国民も納得はしないものの、さもありなん、と考えるかもしれない。

しかし、場所は東京で、しかも聴いている記者のほとんどは日本人である。それでも茂木外相と日本政府は掌（てのひら）で転がされ、翻弄され、馬鹿にされたのだ。

中国のネットの反応は凄まじかった。

「さすが王毅。ついに日本にわが国の領土を認めさせた」

「英雄・王毅を讃えよう」

そんな発信が相次いだ。二〇二〇年八月末の欧州歴訪で、ウイグル・香港の人権問題に激しい非難を受け、習近平氏とＥＵ首脳との会談の〝地ならし〟に失敗し、首の皮一枚で外相に留まっていた王毅氏は、大いに面目を施（ほどこ）したのである。

菅首相も翌日の会談で抗議もせず、一月四日の年頭記者会見でも、「中国と安定的な関係を築きたい」と表明した。

日本政府自体がもはや〝属国か〟と思われても仕方がない状況に陥っていることを私たち国民は自覚しなければならない。

この卑屈な日本の姿勢のせいで、増長をつづける中国が尖閣だけでなく多方面に傍若無人な振る舞いを拡大させていることも忘れてはならないだろう。

日本海沖の大和堆（やまとたい）は日本の許可なしに操業できないＥＥＺ（排他的経済水域）内に

ある。しかし、中国漁船の違法操業が急増し、日本が警告した件数は二〇一八年から二〇一九年にかけて一〇倍となり、二〇二〇年の統計もさらにこれを上まわるものとなっている。

大型船で根こそぎ魚を捕り、〝何か文句あるのか〟という態度をとるのも、こうした日本政府の弱腰にあるのは間違いない。

どうせ日本は遺憾砲しか撃てない――そのことを日本人も知っているが、中国はさらに熟知している。日本の政・官・財界、そしてマスコミが親中派・媚中派に占められていることは、中国による長期にわたる対日工作の成果でもあり、まさに「超限戦」の結果とも言えるのである。

あり方が問われる日本

習近平国家主席は、前述のように建国百年を迎える二〇四九年までに「百年の恥辱」を晴らして「中華民族の偉大なる復興」を果たし、世界の覇権を奪取することを広言している。

二〇一二年一一月末、国家博物館を訪れた際、習氏が最初に披露したこのスローガンは以後、中国人民の大目標になった。

　ここでいう「百年の恥辱」とは、一八四〇年からのアヘン戦争に敗北して以来の屈辱の一〇〇年のことだ。欧米列強によって、各地に租界など植民地をつくられ、日本も東北部に満州国を建国、さらには支那派遣軍二〇〇万との死闘という苦しみを味わったのである。

　中国はその恨みを晴らし、中華民族の偉大なる復興を果たすというのだ。

　これが日本に対して向けられた言葉であることに気づくのは当然だろう。米ソ対立の「冷戦」が歴史上の出来事となり、現在が対中国という意味での「新冷戦」の時代になっていることに誰も異論はないはずである。

　前者の最前線はヨーロッパだった。欧州の人々は、一国ではとても抵抗できない強大なソ連に対して、各国が力を合わせて「集団的自衛権による抑止力強化」という方策を採った。それがＮＡＴＯ（北大西洋条約機構）だ。

　一国への攻撃を「全体への攻撃と捉え、全体で反撃する」という強力な軍事同盟を欧州は築き上げた。奇しくも創設されたのは、中華人民共和国建国と同じ一九四九年のことである。

さすがのソ連も、一国への侵攻がNATO全体からの反撃を呼ぶなら、手だしをすることはできなかった。

戦後七十有余年にわたって、欧州の平和を守り続けたNATOの抑止力は、見事というほかない。そして、二一世紀が来ても、その威力は世界が目撃する。

ロシアによるクリミア併合である。

一九八九年のベルリンの壁崩壊以降の共産主義圏の総崩れは、ソ連解体へと進んでいった。

ラトビア、リトアニア、エストニアのバルト三国は、この過程でリトアニアへのソ連介入による〝血の日曜日事件（一九九一年）〟等を経て、NATO加盟を果たした。しかし、ウクライナやジョージアは、ロシアへの強い配慮を示す国内世論やロシアの政官界、マスコミへの浸透工作により、NATO加盟が果たせなかった。

NATOの集団的自衛権の傘の下に入れるか否かは、文字通り、「国民の血が流れるか否か」の運命を決定づけた。

二〇〇八年、ジョージアにロシアが侵攻し、南オセチアとアブハジア地域の支配を固め、ウクライナは二〇一四年、クリミア半島がロシアに併合されるという悲劇に見舞われたのは周知の通りである。集団的自衛権による「抑止力」とは、それほど大きな意味を持つものなのである。

では、「冷戦」から「新冷戦」となり、最前線が「欧州」から「東アジア」に移った現在、私たちはその集団的自衛権による抑止力によって平和を守ろうとしているだろうか。

簡単にいえば、冷戦時代に威力を発揮したNATOのような〝アジア版NATO〟を構築しようとしているだろうか、ということである。

どの国に対しての攻撃も〝加盟国すべてへの攻撃〟とみなし、全体で反撃するという抑止力によって、中国からの侵略を防ぐ、という努力をしているのか、ということだ。私は、かねてアジア版NATOである「環太平洋・インド洋条約機構」を創設して抑止力を強化し、スクラムを組んで平和を守らなければならない、と主張してきた。

しかし、そのことを真っ正面から訴える有力政治家に会ったことがない。そのための国会議論も、寡聞にして知らない。

いや、ここまで世界情勢の劇的な変化を目の当たりにしても、そしてアメリカでさえも言論の自由を失いつつある中で、さらには中国による力による現状変更が目の前に迫っているというのに、政界はもちろん、マスコミにも、そして国民の間にも、「まったく危機感が生まれてこない」のである。

NATOの恐るべき危機感

当のNATOでは、日本人が驚くような動きがすでに始まっている。

二〇二〇年一一月三〇日、NATOのイェンス・ストルテンベルク事務総長の記者会見は、そのことを雄弁に物語るものだった。

「中国はわれわれとは、価値観を共有していない。基本的人権を尊重せず、他国を脅(おびや)かそうとしている。NATOの同盟・同士の国々とともに、共同体としてこの問題に対処していかなければならない」

「中国は新兵器に対して大規模な投資をしている。また、インフラに投資する形をとって北極圏から、そしてアフリカから、われわれに接近してきている」

「NATOは同盟国の安全を損なう中国の活動を予測し、対応する能力を高める必要がある。海洋進出などを進める中国の安全保障上の課題を議論する諮問機関を設置し、中国が仕掛けてくるサイバー攻撃やニセ情報の拡散に対抗するための取り組みを継続しなければならない」

一帯一路だけでなく、あらゆる手段で覇権を広げてくる中国に対して、ストルテンベルク事務総長が極めて重大な懸念を表明したのだ。そして、この危機感は今後一〇年間のＮＡＴＯの課題を挙げた『ＮＡＴＯ２０３０』という報告書にも具体的に反映されていた。

従来から対峙するロシアに加え、台頭する中国の脅威に対応できる体制を整えるよう提言をおこなった報告書の中で特に注目されるのは、中国の脅威に軍事面だけでなく多方面にわたって警鐘を鳴らしていることだ。

冷戦時代は、ソ連という一つの敵に対する備えに万全を期したＮＡＴＯ。だが時代が変わって中国との「新冷戦時代」を迎えた今、その脅威にどう対処するかを海洋進出、サイバー攻撃、ニセ情報の拡散……等々、さまざまなジャンルで分析しているのである。

私は、ＮＡＴＯがここまで中国の〝超限戦〟を理解していることに驚いた。

超限戦とは、武力以外の方法で、いかに対象国を「弱体化させるか」という戦いのことだ。中国共産党の重要な戦略でもある。

簡潔にいえば、外交戦、国家テロ戦、諜報戦、金融戦、ネットワーク戦、法律戦、心理戦、メディア戦……など、あらゆる分野で侵蝕・浸透し、長期にわたる戦争で勝利をものにする戦術である。

日本が、この超限戦で、政界、官界、財界、マスコミを筆頭に凄まじい侵蝕を受けていることは周知のとおりだ。欧州においても、〝盟主〟ドイツが日本同様、中国の浸透工作にしてやられていることもウォッチャーの間では有名だ。

ストルテンベルク事務総長の会見でも、また、『NATO2030』でも、このことが強く意識されていることがわかる。

では、日本はどうか。

退陣前の安倍晋三首相は二〇二〇年九月一一日、新たな安全保障政策として、敵国のミサイル攻撃を防ぐため、これまでの迎撃能力を上回る対策を検討して年内に結論をまとめる、と発表した。

そして一二月一八日、菅政権は敵基地攻撃能力の保有自体には踏み込まず、「抑止力の強化について引き続き政府において検討を行う」との表現にとどめた。その一方で、敵の攻撃圏外から対処できる「スタンド・オフ・ミサイル」の国産開発を閣議決定した。

さらに配備を断念した「イージス・アショア」の代替策として、新型のイージス艦二隻を建造することも閣議決定した。

これに対して朝日新聞は、翌一二月一九日付社説で、〈破綻した陸上イージスの代替策と敵基地攻撃能力の検討は、安倍前政権の「負の遺産」である。きっぱりと決別すべきだ〉と書き、さらにその翌日の毎日新聞は、〈日米安全保障条約の下、日本は守りの「盾」、米国は打撃力の「矛」としてきた役割分担の見直しにもつながりかねない。専守防衛をなし崩しで変質させることは許されない〉との社説を掲げた。

この一〇年で日本を取り巻く情勢が「新冷戦時代」へと激変したことにも目を向けない勢力が「いかに大きなものか」を想像させる論評である。

私たち、そして子や孫たちの命を守るために、集団的自衛権による抑止力を早急に構築しなければならないときに、彼ら〝親中メディア〟は、堂々と中国を利するために日本の防衛にストップをかける論評を掲げるのである。

中国の侵略に備え、世界は「平和」を守らなければならない。一国としては弱小かもしれないブータンや、明日にでも電撃侵攻があるかもしれない台湾……こうした自由と人権を大切にする国を「集団の力」で守っていかなければならないのである。

クアッド（QUAD、日米豪印四カ国戦略対話）を発展させ、アジア版NATOである環太平洋・インド洋条約機構を一刻も早く構築しなければならない。

そのためには集団的自衛権さえ否定する日本国憲法を改正しなければならない。あのアメリカでさえ中国の浸透を許す中、そのことを強く考えざるを得ないのである。


本書は、中国の四川省・成都に生まれ、中国ウォッチャーとして揺るぎなき第一人者である石平氏と私が、その危機の真の意味と将来予想を語り尽くしたものである。

私と石平氏は二〇一六年に意見をぶつけ合い、翌年、『世界が地獄を見る時——日・米・台の連携で中華帝国を撃て』（ビジネス社）を上梓した。まさに今の世界が陥っている状況を指摘し、中国の危険性を炙(あぶ)り出し、「何をしなければならないのか」を提言したものだ。

五年を経て、残念なことに提言は未だ生かされておらず、逆に事態はさらに悪化したと言える。

二〇二一年から二〇二四年にかけて、世界、そして日本は大変な危機に見舞われる。

中国による電撃侵略である。それが始まる運命の年に、本書が刊行されたことの意味を思う。本書を開いてもらえば、日本、いや、自由主義圏そのものが危ないことが実感としてわかっていただけると思う。

戦後秩序のなかで、太平の眠りを貪(むさぼ)ってきた日本人も、新しい時代に「何をすべきか」を感じとっていただければ、本書が生まれた価値も些(いささ)かはあるかもしれない。

（作家・ジャーナリスト）

令和三年　春

中国の電撃侵略

◎目次

装丁　神長文夫＋柏田幸子
ＤＴＰ製作　荒川典久
帯写真提供　産経新聞社

序章

バイデン政権の四年

歴史に刻まれる危機

門田　バイデン政権がいよいよ始まりましたが、今回の米大統領選ほど釈然としないものはなかったですねえ。あれほど不正選挙の明白な事例が明らかにされても、「不正があってももう結果が出たんだから、もうそれでいいよ」ということになってしまったことが驚きです。事情を知らないはずなのに、不正なんてなかったんだよ、と断定する人もいる。

アメリカって、正義を愛する国であり、国民であり、最後は「やっぱり不正を解明してから、次に進もう」となるのかと期待していました。でも、駄目でしたね。

巻頭文でも書いたように、長い期間と犠牲のもとに、やっと人類が獲得した自由と民主主義がこうも簡単に踏みつぶされたことに愕然としました。これを平気でやってのけたアメリカ人たちは、自分たちが全体主義への道、つまり、〝異論を許さない〟暗黒社会に向かって突き進んでいることになぜ気がつかないのか、と思います。

逆に、あそこまで追い詰められていた習近平体制にとっては、本当に天祐（てんゆう）ですね。バイデン政権誕生で完全に〝息を吹き返し〟ました。これまで巨額な〝投資〟をしてきた甲斐があったわけですよ。

トランプ氏の退陣によって、これからの世界は、まちがいなく中国を中心にして動いていきます。〝中国の世紀〟が始まるのです。

バイデン氏を推し、応援した日本の識者たちには、これから起こることにどんな感想を持つのでしょうか。あなたは、中国の人権弾圧をどう思うか、人間の命をどう思うか、アジアの危機についてどう思うか、香港やウイグル、チベットの人々についてどう思うか……聞きたいことが山ほどあります。

しかし、アメリカ人以上に中国への警戒心がないのが日本人です。「日中友好」を言えば、なんでも許されるのが日本です。私はこれを〝日中友好絶対主義〟と名づけていますが、本当に真の意味で危機感を持って欲しいですね。日本人は危機意識がまるでない。新型コロナウイルスでこれだけの目に遭っても、中国の恐ろしさに目を向けない。経済界はまたぞろ中国、中国と言っています。

石平　日本が中華帝国に飲み込まれたらどうなるかを知らないからですよ。

二〇二〇（令和二）年ほど中華帝国の恐ろしさを表した年はありません。

コロナがあり、香港があって、最後はアメリカ大統領選。われわれの子供、孫、そのまた孫の世代が中学校で世界史を勉強するとき、二〇二〇年のこの三つの出来事が分岐点だったとして登場するかもしれません。

これらすべて「民主主義の危機」という意味で歴史に刻まれる可能性があります。

門田　いや「かもしれない」ではなく、必ずそうなりますよ。二〇二〇年が、歴史の大転換点であると〝太ゴチック体〟で表されることになるのは、間違いありません。

この二〇二〇年は中国の干支（えと）の組み合わせで三七番目の「庚子（かのえね）」に当たります。これは「大厄」で歴史的に動乱などが起こるとされる年なんですよ。

その通りに中国にとっては一月から大変なコロナ禍になり、アメリカの強力な経済制裁もあった。打つ手打つ手が全部失敗し、六月三〇日の香港国家安全維持法（国安法）によって世界中の自由主義陣営からそっぽを向かれるというような事態に陥った。中国は本当に大厄の年だと思っていたわけです。

ところがその大厄の年に流行（はや）った疫病によって、中国は大敵であった日本の歴代最長政権となった安倍晋三政権、そして〝最大最強の敵〟アメリカのトランプ政権、この両政権を倒してしまった。これは肉を切らせて骨を断つ、中国の恐ろしい大逆転劇です。大厄が、逆に中国にとっての幸運の年に変わってしまったわけです。

石平　そうです。そして民主主義は危機にありますね。欧米における「コロナ禍」の拡大では民主主義の弱点が明らかになりました。「香港」では民主主義も人権も法も、いとも簡単に中国に殺されてしまった。そして二〇二〇年の「アメリカ大統領選」が民主主義の否定と破壊になりかねないという展開です。

簡単に言えば、もし不正な手段で選挙が行われたなら、民主主義は終わりだということです。今回の大統領選では、民主党とその支持者たちは政権を取り戻すために、あるいはただトランプという自分たちの嫌いな人間を引きずり下ろすために、絶対に越えてはならない一線を越えた可能性があります。もし、そうであれば民主主義の根幹を破壊したことになります。

門田　習近平率いる中国は「中華民族の偉大なる復興」を実現するために全精力を注ぎ込んできましたが、ついに最大のターゲットであるトランプ政権を倒しました。そしてかねて誼（よしみ）を通じていたバイデン氏が大統領になった。二一世紀は今後「独裁と弾圧の世紀」になるのではないかという、その〝大転換点〟として記録されることになりましたね。

石平　二〇二〇年の大統領選で、もしアメリカの民主主義が崩壊していたとしたら、中国共産党にとってアメリカという重しがなくなるだけではない。中国人民に民主主義の失敗を告げることになります。つまり、中国共産党政権の独裁政治、全体主義の一種の勝利になるということです。

全体主義に対する民主主義の戦いの行方に危機感を持って、ポンペオ国務長官は二〇年七月二三日の段階で、ニクソン大統領記念図書館で、あの対中演説を行いました。

門田　「自由世界が共産主義体制の中国を変えなければ、共産中国が私たちを変えてしまう」と警告して、自由主義諸国が連携して中国の脅威に対抗するよう訴えましたね。

石平　要するに、アメリカと中国の戦いは単なる両国間の戦いではないということ。自由主義と共産主義、民主主義と全体主義の戦いだということです。

今になって考えてみたら、ポンペオ国務長官はアメリカの中にも民主主義を破壊する勢力との戦いが実際に起きていることを述べていたのかとも思います。

つまり、二〇二〇年という年はアメリカを中心とした世界秩序の崩壊によって、民主主義崩壊のスタートになったと記録されかねない。冷戦の終結が民主主義の勝利だったわけですが、それから三十数年が経ったら逆のことが起きてしまったわけです。

バイデン氏の疑惑

門田　二〇二〇年に行われたアメリカ大統領選を通して日本のメディアには「バイデンも反中だ」とわかったふうなことを言う識者が登場していましたね。とんでもない話です。

石平　バイデン氏が二〇一三年一二月四日から中国を訪問したときにどんなことをしたかを知らないのか、と。バイデン氏と習近平氏の癒着関係はこの中国訪問で一目瞭然になりました。

門田　問題の北京訪問ですね。

石平　このときバイデン氏は副大統領です。副大統領であるバイデン氏が息子のハンター・バイデン氏を中国に連れて行ったのです。夫人が外国訪問に同行することはあっても、息子が同行することは一般的にはない。中国側が容認しなければ連れていけませんよ。

門田　そのバイデン氏に「疑惑の北京」で何があったかは、すでに二〇二〇年九月、上院に共和党が精力的に調べた結果として報告書が正式に出ています。そこには多くのことが指摘されています。

それによれば、まずハンター氏は中国から帰国後、自身が代表となって「ローズモント・セネカ・パートナーズ」という投資会社を設立。ここに中国の複数の銀行から億ドル単位の出資金が振り込まれました。ここが何をやったか。

まず同社は、中国の「中国華信能源公司」という投資企業と連動して、振動防止の軍事精密機械を製造していたアメリカ企業「ヘンジス」を買収するのです。中国華信能源公司は、人民解放軍との関係が極めて深い会社ですから、ここととハンター氏の会社が何を狙っていたのかわかります。

さらにハンター氏は、中国華信能源公司の傘下にある「華信インフラ投資会社」と共同で、投資企業「ハドソン・ウェスト」を二〇一六年に設立します。この華信インフラはハンター氏の法律事務所に、判明している二〇一七年八月から二〇一八年九月の間だけで四八〇万ドル（およそ五億円）を「相談料」の名目で振り込んでいる。

また、ハンター氏は同時期、華信インフラ社長の董龔文氏と共同の銀行口座を開き、董氏が振り込んだ一〇万ドルを叔父のジェームズ・バイデンとその妻サラの遊興費に充てたと指摘されています。

当該の上院委員会の報告書は怒りを込めて「父親の公的な立場を利用しての巨額の不正利得行為である」と告発しているんです。

興味深いのは、ローズモント・セネカ・パートナーズが中国銀行の子会社と共に上海に「渤海華美」（渤海華美股権投資基金管理有限公司　Bohai Harvest RST）という投資会社を設立したことです。ハンター氏は同社の取締役になり、ここに中国側から実に一〇億ドル（約一〇〇〇億円）が出資されているのです。

公安当局にも採用されている中国の代表的な顔認証システムの会社に同社が投資し、「ウイグルの人権弾圧に協力する企業への投資が許されるのか」と批判が巻き起こったのはご承知のとおりです。中国はすでにバイデン家を「一家ごと買収済みだ」と言われる所以がそこにあります。

二〇一九年五月、民主党の大統領候補選の過程で、バイデン氏は中国について「彼らがわれわれアメリカの昼ごはん（注／「利益」のこと）を〝横取り〟したって？　冗談はよせ。彼らは悪い人々ではない。競争相手ではないんだ」と語り、民主党左派からも「バイデンの中国擁護は度を過ぎている」という声が上がりました。しかし、ハンター氏への中国の〝巨額投資〟からすれば、このぐらいのリップサービスなど当然のことでしょうね。
下院でもアンディ・ハリス氏ら一八人の共和党議員が「バイデン氏が副大統領在任中に家族の経済利益増大のために中国共産党幹部らと不正な協力をしていたことを示す証拠が出ている。われわれは司法省に対して特別検察官を任命して刑事事件としての捜査を開始することを要求する」との刑事事件捜査を求める声明も出ています。
アメリカは、あのウォーターゲート事件で国民の怒りが爆発し、ニクソン大統領が辞任に追い込まれた民主主義の国です。それなのに、民主党支持が九割の米マスコミでは、これらが黙殺されたんですから、信じられません。中国の水面下の工作、つまり、サイレント・インベージョン（沈黙の侵略）の凄さとマスメディアの左傾化には言葉もありません。

石平 バイデン氏の訪中は非常に戦略的に練られていますね。

門田 実は副主席時代から習近平氏はバイデン氏と関係が深いわけです。バイデン氏の二〇一一年八月の訪中時の担当が習近平国家副主席。そのときバイデン氏は四川省まで行き、その案内まですべて習近平氏が行いました。石平さんはご自身のチャンネル（YouTube「石平の中国深層分析」）でも彼らの写真を紹介されていましたね。

石平　そうそう。
門田　シャツの袖をまくり上げ、親友同士が笑い合っているような習近平氏とバイデン氏の写真です。二人の蜜月ぶりがよくわかります。
　この半年後の二〇一二年二月には今度は習近平副主席夫妻が訪米し、バイデン副大統領がわざわざ空港のタラップの下まで迎えに行くという異例の厚遇をしました。今度は逆にバイデン夫妻が習近平夫妻に西海岸を案内し、晩餐会はやるわ、華僑コミュニティに飛び込んでいって、即興で習近平を讃えるスピーチをするわ、とアメリカでも二人の関係は周囲を驚かせました。そうした蜜月が二〇一三年の息子ハンター氏を伴っての訪中につながります。つまり、二〇一三年一二月までに話は全部まとまっていたわけです。
石平　副大統領という存在は、将来の有力なアメリカ大統領候補ですからね。
門田　そうです。だから中国にとってはたとえ上院議員が束でやってきても、それを接待するのと訳が違う。二〇一一年の、お互いが副大統領と副主席のときから関係を築いて今年、二〇二一年にはその関係が一〇年になります。習近平氏にとっては、「ついにこの時が来た」という思いでしょうね。

アメリカの民主党内で誰がいちばん習近平氏と親しいか、中国と誼を通じ合っているかについては〝スーザン・ライスか、ジョー・バイデン〟かと言われてきました。スーザン・ライス氏も四回訪中して、習近平氏にも確かに会っています。しかし、バイデン氏の場合は、そのレベルでないことは、この二〇一一年からの一連の経緯を見ればわかります。その末に、息子の会社に一〇億ドルの資金がぶち込まれたわけですからね。

中国のことを知らない識者たちが「もはやアメリカは議会まで反中だから、バイデン氏が大統領になったところでアメリカの方針は変わらない」と言っていますが、それは表向きのことです。バイデン氏が大統領になるということは、習近平氏の〝側近〟がアメリカ大統領になるようなものです。普段はカモフラージュで反中を装っても、あとで話すように、最も肝心な台湾への中国の電撃侵攻などについては、信じられないような行動をバイデン氏は採るでしょう。そういう危険な「バイデン政権の四年間」が始まるのです。

安保で中国を忖度

石平　ちょうどバイデン氏が息子を連れて訪中したその年、これからの四年間を占う出来事がすでに起こっています。二〇一三年一一月二三日、習近平政権は突然、東シナ海の上空に「防空識別圏（ADIZ）」を設定すると発表しました。

習近平氏が中国共産党のトップになったのは二〇一二年一一月で、国家主席になったのは二〇一三年三月です。ちょうど習近平政権が一年になるというところで東シナ海上空に〝防空識別圏〟を設定するとした。これは習近平政権になってから初めての際立った対外的な軍事的冒険行為ですよ。

門田　「防空識別圏」とは、領空侵犯のおそれがあるかを識別し、緊急発進（スクランブル）を判断するために、領空（沿岸から約二二キロの領海上空）の外側に設定するものです。防空のために各国が国内措置として設定するもので、本来は領空や領土の範囲を定める性格のものではありません。例えば事前申告がある民間航空機はたとえ防空識別圏に入ってもスクランブルをかけませんね。しかし国籍不明の戦闘機が防空識別圏を越えて領空に向かってくるときにはスクランブルの必要があります。

そんな防空識別圏を勝手に中国が設定したわけですが、問題はそれが尖閣諸島（沖縄県石垣市）の上空を含んでいたことです。完全な日本への挑発でした。

石平　そうです。習近平政権は防空識別圏を設定することによって、尖閣上空を中国の領空のように扱おうとした。中国空軍が尖閣上空を監視し、その空域を通る場合は事前に飛行計画を報告しなければならないとした。防空識別圏を自分たちの軍事的な主張に使ったわけです。

門田　アホ言うなという話ですよ。

石平　勝手な話ですが、これは日本にとっては切実な、安全保障上の大問題です。当然、安倍政権はすぐに中国に抗議し、撤回を求めました。当時の米オバマ政権も一応、即座に一一月二六日、Ｂ52を二機派遣してその〝防空識別圏〟の中に入りました。それと連携して、日本の自衛隊機も防空圏の中に深く進入したと発表されています。アメリカは日本と共に「中国の防空識別圏設定」を無視するという立場を取ったわけです。

が、オバマ政権はそれ以上、中国に強い態度を取らなかったのです。

門田　その理由はすぐにわかります。原因はバイデン氏でした。このすぐ後、一二月二日から、バイデン副大統領は日本、中国、韓国とアジアを歴訪し、驚くべき態度を見せましたね。

石平　バイデン副大統領がまず立ち寄ったのは日本で、一二月三日は安倍晋三首相と会談しました。安倍首相はバイデン副大統領に、日米が連携し、中国に対して防空識別圏設定の撤回を強く求めようという提案をしました。それをバイデン氏はまず、断わった。

次善の策として、安倍首相は「せめて日米両国が共同声明でも出そう」と提案しました。「中国の防空識別圏」に反対の共同声明です。しかしそれもバイデン氏は断わった。

門田　これは同盟国として信じられない行動でした。安倍政権が唖然としたことを思い出します。結局、バイデン氏は「現状を一方的に変えようとする試みを米国は深く懸念している」と述べるにとどめましたからね。また、日本政府は、中国が要求する民間航空会社の飛行計画書提出を拒否する姿勢を示したわけですが、アメリカ政府は軍事と民間は別として事実上容認。バイデン氏は共同記者発表で「誤算や過ちの可能性は高すぎる」と語る一方、「米国は仲裁役」との立場で「中国への気遣いもにじませた」と当時の産経新聞は報じています（二〇一三年一二月四日）。要は中国を忖度したわけです。その理由は、直後の北京訪問でわかります。

石平　当時のアメリカ大統領はオバマ氏ですが、安倍首相の提案を即座に断わったのはバイデン氏です。バイデン副大統領は安倍首相の二つの提案を断わった。日本のマスメディアもそれを報じましたし、その翌日、中国のメディアは、それこそ鬼の首でも取ったように喜んで報道しました。

門田　一二月四日の共産党機関紙・人民日報のウェブサイト「人民網」は、習氏の側近とされた海軍の諮問委員会主任、尹卓少将の発言を掲載しました。飛行計画の提出を容認したアメリカを「（従来の）一貫したやり方に戻った」と高く評価したんです。その一方で、日本のことは「われわれの防空圏の法的地位に挑戦しようとしている」と批判しました。

「ご迷惑をかけてはいけない」

石平　当時の中国メディアの論調は「安倍晋三は反動分子」というもの。〝安倍晋三がけしからん。安倍がそそのかして反中行動をとろうとしている〟という論調です。しかしバイデン氏に関しては、〝バイデン副大統領が毅然と安倍晋三の悪辣な提案を拒否した〟と、こういう論調で書いていました。

当時、中国の各メディアは「バイデンが本心を漏らした」とも報じました。バイデン副大統領は当時、安倍首相との会談の前に、民主党党首の海江田万里氏に会っています。余談ですが、「万里」という名前は本人いわく「万里の長城」から取った名前だそうですよ（笑）。その海江田万里氏との会談においてバイデン副大統領が「本心を漏らした」と中国メディアは一斉に報じたのです。

バイデン氏が海江田氏との会談で「習近平国家主席は事業を始めた苦しい時期にある。彼に面倒をかけられない」と述べたというわけ。

門田　このとき「添麻烦（ティエン・マーファン）」という言葉が出ましたね。

この言葉は田中角栄首相が訪中し、周恩来首相による晩餐会の席で述べた有名なものでもあります。一九七二（昭和四七）年九月二五日、田中角栄首相は人民大会堂で、過去数十年の間、日中関係は不幸な過程をたどってきた、その間、わが国は中国の人民に多大な「ご迷惑をかけた」と述べましたね。

石平　それが「添麻烦（ティエン・マーファン）」という中国語に訳されたわけ。

門田　そう訳されてしまって、大変な事態を招いた。翌日の首脳会談冒頭で周恩来首相が、田中角栄首相の言葉は「中国人の反感を呼んでしまう。中国では迷惑とは小さなことにしか使われない」と問題になった言葉です。

石平　でも、人に「添麻煩」してはならないよという中国語のこのニュアンスは、すごく親身なものですよ。例えば私は門田さんとは仲がいいですよね（笑）。だから〝門田さんに「添麻煩」したらアカンね〟って、そう使う。

門田　迷惑をかけちゃいかんよと。

石平　門田さんの立場に立って、すごく門田さんのことを思って、門田さんのために発する言葉です。あの人に「添麻煩」してはならないよというのは、普通、友達同士じゃないと言わないよ。

門田　つまりバイデン氏の発言は、習近平氏のことを慮った言葉だ、と。中国語の教養が重要になりますね（笑）。

石平　話を戻すと、二つの謎があります。一つは、バイデン氏が英語でどう話したかがわからないということ。もう一つは、海江田氏との会談の内容を中国メディアがどうやって入手したのか、そこもわからない。

ただし、このことを一二月四日に中国メディアが一斉に報じたのは事実です。もちろん、中国メディアは嘘が多いとよく言われますよ。しかし、いくら嘘が多いと言っても、さすがにアメリカ副大統領の発言は捏造できない。さすがにね。

そもそも四日はバイデン副大統領が北京に到着した当日です。副大統領本人が北京にいるときに、さすがの中国メディアも勝手に捏造できるはずがない。ですから、この発言は信憑性が高いと私は思います。

結論的に言えば、バイデン氏の習近平氏に対する忖度があるということです。習近平氏のために同盟国の安全保障も蔑ろにして、安倍首相の提案も無視した。バイデン氏は「習近平の暴走」の第一歩を許した張本人なのです。

門田　今、石平さんが指摘したことが、今後の四年間の「重大懸念」を象徴的に表しています。

「習近平の軍事的暴走」に加担

石平　バイデン氏は控えめに言って「習近平に対する忖度」がある。強く言えば「習近平とグル」になっている。中国の国家主席とグルなんですよ。つまり、「習近平の軍事的暴走」をバイデン氏が容認したと言うよりも、加担したと言っても過言ではない。

門田　そして、そのときにバイデン家の利益のために〝商談〟をしているわけですよ。

石平　そういうこと。だから、そのときにハンター氏を連れていくのは決して偶然ではないのです。

　というのは、中国は当然、バイデン副大統領のアジア歴訪を知っています。日本に行き、中国にも来るとわかっています。もし、例えば何もないときに、バイデン氏が息子を連れて遊び気分で中国に行くのならまだわかる。しかし「中国による防空識別圏の設定」の後にアメリカ副大統領が中国に行く。その肝心なときに息子を連れて行った。中国の工作がないとは、私はとても信じられない。

門田　その通りです。重要なのはここです。互いに副主席と副大統領の立場のときから、二人はずっと友情を交わし合ってきた。二〇一一年にバイデン氏が訪中、二〇一二年には習近平夫妻が訪米し、そして二〇一三年のアジア歴訪の中で、その総仕上げとして息子を連れたこの訪中がある。流れで見れば、商売のためにもう話はすでにできあがっていて、ハンター氏のサインが欲しいだけのことだったと、私は想像します。

石平　いや、そういうことです。

門田　ハンター氏が実際に中国に行き、サインをして、日本円にすれば約一〇〇〇億円という、考えられない額の渤海華美への投資もなされました。共和党支持者たちが、中国がバイデン一家を丸ごと買収したと捉えているのは当然だと思いますね。
　日本の同盟国であるアメリカとしては、本来、少なくとも記者会見で防空識別圏設定の撤回を要求する必要があった。もしトランプ大統領なら、あるいはペンス副大統領だったらそうしたでしょうし、そもそも中国は防空識別圏の設定など、できなかったでしょうね。

石平　そのときトランプ政権だったら、あるいはペンス副大統領だったら、おそらく撤回を強く求めると同時に、訪中そのものを取り消しますよ。中国が撤回しなければ訪中しない。しかし、バイデンは中国に行った。同盟国・日本に対する裏切りです。

鉄の兄弟

門田　バイデン氏の防空識別圏についての態度は同盟国に対する完全な裏切りです。

石平　そう。彼の息子が中国に行くことと無関係であるとはとても考えられない。関係性があると見るのが自然です。

この事例には、中国が外国の指導者を取り込む方法が見事に現れています。まず友情を固める。しかし中国人ほど友情を信じない人たちもない（笑）。友情だけではまだバイデンは落ちていないと中国人は考えます。友情にプラスして「利益の供給」が必要なのです。友情と利益の供給、この二つがあれば安心。中国人はだいたいみんなそう言います。

国家の関係だけではなく、中国人はビジネスでも同じように考えます。相手と友達になったけれども、それではまだ不十分。友達になった上で、さらに何か便宜を図る。それで初めて中国語で「鉄哥児们（ティエゴムエン＝鉄の兄弟）」となる。「哥児们」とは北京語で兄弟分。例えば「あいつは俺の哥児们（兄弟分）」というふうに使います。友情だけではただの「兄弟分（哥児们）」。利害関係ができて初めて「鉄の兄弟（鉄哥児们）」となる。だから、私と門田さんがいくら頑張っても「哥児们」にしかならない。利益の供給がお互いにないから（笑）。

門田　われわれは永遠に「鉄の兄弟」にはなれないね（笑）。

石平　しかし習近平氏とバイデン氏は違う。まさに一二月四日、ハンター氏を伴って北京空港に降りたあの瞬間に、習近平氏とバイデン氏は「鉄の兄弟」になったわけ。

門田　前に石平さんが指摘されたように、防空識別圏の設定は習近平氏にとって最初の大きな対外的、能動的な政策だったわけです。これは確実に成功させる必要がありました。最初に失敗したらその後に影響しますからね。習近平氏は用意周到に戦略を練ったでしょう。

「中国による防空識別圏設定」は私たちにとっては突然目の前に現れたものですが、実際は習近平自身が周到な計画の下にこれを打ち出したということがわかる。「バイデン訪中」はその戦略に入っています。この件では日本をはじめとして大きな波紋を巻き起こしたけれども、アメリカがこれを認めるのは「すでに確定していた」と考えたほうが妥当ですね。

石平　その通りで、事前に仕込み済み。バイデン氏は、習近平氏との会談では一応アリバイ作り的に懸念を表明した。それで終わり。習近平氏との会談が終わってから記者に対しても、この件は一切触れない。その時点で中国の防空識別圏は完全にアメリカによって容認されたということです。

永遠に習近平の操り人形

石平　歴史として見れば、この一件はアメリカにとっても長期的な苦しみとなる二つのことをもたらしました。一つは、これで習近平氏が味をしめて、南シナ海などにどんどん軍事的膨張をすることになった。もう一つは、習近平個人の独裁体制を成立させた。

まさにバイデン氏自身が海江田万里氏に述べたように、習近平主席の仕事は当時、軌道に乗ったばかりだったのです。あのころは胡錦濤氏の後任になってまだ一年経っただけで、中国共産党政治局の中にも習近平反対派がいっぱいいた。

門田　まだ習近平主席の基盤は脆弱でしたからね。

石平　そう。まだ独裁体制にはほど遠かった。

もし、あの頃にアメリカが毅然とした態度をとって、防空識別圏を撤回しなければあらゆる制裁を加えるぞ、中国訪問もやめるぞ、とやったらどうだったか。場合によっては、党内の圧力で習近平氏が撤回せざるを得ないところに追い込まれた可能性もあります。いったん撤回すると、共産党指導部における習近平氏の威信が地に墜ちることになる。

門田　共産圏では弱腰を見せたらもうアウト。支持基盤が崩れていきますから。

石平　そうそう。旧ソ連のトップだったフルシチョフ第一書記が失脚した最大の理由の一つが、キューバ危機でアメリカのケネディ大統領に屈服したからです。

ですから防空識別圏問題は第二のキューバ危機だったのです。もしアメリカが同じ民主党でもケネディ大統領のような毅然とした態度をとっていれば、習近平主席はコケた可能性があった。今のような、世界にとっての脅威「習近平独裁体制」がおそらく成立しなかったと思います。

門田　重要なポイントですね。要するにバイデン氏との関係性によって、習近平主席は「次のステップ」に自信をもって進むことができたわけです。習近平主席は「南シナ海を軍事基地化するつもりなどない」とオバマ大統領の前で言いましたが、あっと言う間に軍事基地にしました。なぜできたかといえば、この防空識別圏問題でバイデン氏の「働きぶり」と「影響力」がわかったからです。これはいけると〝南シナ海軍事基地化〟に邁進できたのだと思いますね。

石平　問題は、結局バイデン氏は自分の息子の利益確保と引き換えに、アジアの安全保障、同盟国の利益を犠牲にしたということです。彼の政治倫理は非常に問題ですよ。

例えば最近、一部の識者がテレビでよく言っていますね。この数年間でバイデン氏も中国に対する考え方が変わったのではないか、と。そんな馬鹿なことないよ！

門田 一〇〇〇億円だぞ（笑）。

石平 考え方の問題じゃない。要するにバイデン氏は理想や理念で動く男ではないのです。さらに言えば中国はバイデン氏か息子の弱みを、他にも握っている可能性がないわけでもない。

門田 女性問題ですよね。何も「ない」ほうが不思議ですよね。しかし、そんなものがなくても、一〇〇〇億円というお金、もうそれだけで十分ですよ。ポイントは「女」であろうと「お金」であろうと、中国から一度受け取ってしまえば、それはもう致命的。決定的な弱みになります。

石平 そうそう。

門田 〝渡した側〟はその瞬間に立場が強くなるわけです。なぜならば〝受け取った男〟を、いつでも失脚させたり、あるいは刑務所に放り込んだりすることができるからです。証拠を持っているわけだから、メディアであろうと何であろうと、何を使っても、失脚させるのが可能です。バイデン氏は歴代大統領史上最大のスキャンダルの主として生涯、刑務所で過ごすことになるかもと、そういう話になってきます。

中国にとっては、お金の話だけで十分。「これ、ばらしていいですか？」ということですから、バイデン氏は〝永遠に操り人形〟になるしかない。しかし、中国はそんなことはおくびにも出さずに、今まで通り、つきあいをしてきますよ。不自然にならないように「議会の言うとおり、制裁も科してください。しかし……」と、イザというときに重大な要求があるわけです。私は、次に話すように、それを「台湾」と見ていますが……。

石平　もし大統領選挙で中国が不法・不当なやり方でバイデン氏を支援していたならば、さらに彼は〝死ぬまで習近平から逃げられない〟という話。

そういう意味では、もうアメリカの危機というよりも、民主主義、生涯、操られる。です。世界最大、最強の民主主義国家をリードする人が〝習近平の操り人形〟になっているということになれば、防空識別圏問題でわれわれが見た摩訶不思議な光景はバイデン政権の四年間、いろんな場面で起きてきますよ。

第一章

台湾「電撃侵攻」シナリオ

台湾が危ない

石平　バイデン政権の四年間で、いちばん危ないのは台湾。

門田　その通りです。

石平　中国の習近平国家主席は台湾を一気に自分のものにしたくて仕方がない。大したリスクなく、もし台湾を取ることに成功したら、それは習近平政権にとっても中国共産党にとっても、計り知れないほどの莫大な利益をもたらすのです。

例えば毛沢東時代は「台湾解放」を行う能力はありませんでした。だから毛沢東にはできなかった。

門田　せいぜい「金門砲戦」で金門島に四七万発の砲弾をぶち込んだぐらいです。

石平　そう。そして鄧小平の時代になると「熟柿戦略」をとりましたね。

熟柿戦略とは、台湾の中国経済に対する依存度を高めるというものです。台湾の内部に中国が浸透する。台湾の政界やマスコミに徐々に浸透し、中国から逃れられないようにする。すると、いずれは熟した柿のように、台湾は自ずと落ちてくる。

しかし今、熟柿戦略は失敗に終わったことが、習近平主席にも中国共産党にもわかった。台湾はむしろ、ますます中国から離れていっている。

二〇二〇（令和二）年に門田さんと一緒に台湾の総統選を取材しに行きましたね。

門田　石さんと取材した二〇年一月一一日に行われた台湾総統選では、香港の状況を目の当たりにした台湾の人たちが蔡英文総統を勝利させました。総統選のおよそ半年前まで蔡英文氏は国民党の韓国瑜（かんこくゆ）氏に世論調査でダブルスコアの差をつけられていたわけです。が、香港で民主化運動が広がり、改めて「一国二制度」は駄目だと台湾人のアイデンティティに火がついた。そして二〇一九年六月一六日の香港二〇〇万人デモ以降、一挙に蔡英文氏と韓国瑜氏の支持率が逆転し、逆にダブルスコアで蔡英文総統がリードするようになったわけです。

蔡英文勝利によって「国民党が台湾の政権に返り咲き、事実上の統一に持っていく」という中国の台湾戦略が頓挫したということです。中国は国民党に賭けていて、二〇一五年一一月七日にはシンガポールで、習近平主席と馬英九総統との〝史上初〟の中台首脳電撃会談があったわけですが、「一つの中国」はどんどん後退しているわけです。

石平　熟柿戦略の失敗が台湾の総統選で明確に現れました。台湾の若者たちは、むしろ中国から離れています。

そして台湾が中国からますます離れていく原因をつくったのは習近平氏自身。香港の「一国二制度」を破壊したことで、もう誰も中国を信じなくなった。台湾では国民党も最近はおとなしい。もう熟柿戦略は終わり、台湾が自ずと落ちてくることはない。彼らの言葉で言うところの「一国二制度での平和的併合」はほぼ完全に不可能。自分たちがやったことのツケが回ってきたということです。

そうなると、中国としては台湾はいずれは武力でとるということになります。

門田　二〇二一年から二〇二四年。バイデン政権下での四年間は中国の電撃侵攻がいつあってもおかしくないので、目を離すことはできません。それに、武力行使にも、いろんな形があります。

石平　台湾上陸も武力行使の一つ。台湾を武力的に封鎖するのも一つ。周辺の島を取ってしまうのもそうで、いろんな選択肢があります。つまりは武力を行使することによって、台湾を屈服させる。台湾の戦意を喪失させ、台湾が自ら中国の軍門に降るようにする。それだけで習近平主席にとっては、彼が考える「民族の偉大なる復興」の完成となります。

中国にしてみれば、台湾は〝特別な領土〟です。中国の教育では、私たちの子供時代から「台湾は中国の神聖なる領土」と教えています。いずれは絶対に台湾を取り戻さなければならないという一種の宗教的信念にすらなっているのです。

例えば中国にもいろんな考え方の人がいますね。民主主義を求める人、政権に対して反対意見を持つ人、人権派弁護士。しかし、そういう人々も含めて「台湾の独立」を主張できる人は皆無です。中国という国をまとめるイデオロギーは、一つが経済成長、もう一つが台湾だと言っていい。

習近平の業績

門田　その台湾は日本の最も重要な防衛ラインでもあります。台湾を失ったら、台湾海峡が中国の内海になってしまうわけですよね。ここをタンカーなど日本籍の船は一日三〇〇隻以上、航行しています。しかも尖閣はいうまでもなく、先島諸島は台湾のすぐ近くです。沖縄本島も近い。台湾が万が一にも陥ちたら、日本の安全保障は根本から覆されます。

石平　台湾が中国に併合されたら日米安保条約もほとんど意味がなくなります。さらに、台湾に中国の軍事基地でもできたら日本の安全保障は完全に崩れる。

門田　その通りです。そのことを「専門家」と呼ばれる人は本当にわかっているのか、首を傾げます。テレビから流れてくる話を時々、耳にしますが、何を話してるのかと不思議でたまりません。

石平　万が一「台湾併合」に成功すれば、習近平主席自身にとっても大きな意味があります。というのは、今、ほぼ彼の独裁体制ができあがろうとしています。しかし、今までの中国共産党の暗黙のルールならば、習近平主席は二〇二二年の党大会で二期一〇年となり、引退しなければならない。彼の前任の胡錦濤氏がこのルール通りに、二〇一二年の党大会で引退したからこそ、習近平氏はトップになったわけです。

でも習近平主席は今、死ぬまで引退したくない。引退したら彼の命はないから引退できないとも言えます。だから彼の本心は毛沢東と同じように「終身独裁政権」をつくりたいというもの。毛沢東の肩書きであった〝党の主席〟の肩書き復活まで考えています。

門田　そのためには「台湾併合」が必須です。

石平　そう。その「終身独裁政権」を実現するにはアキレス腱があるのです。それは習近平氏にこれといった歴史的業績がないということ。例えば毛沢東は中国共産党に天下を取らせました。この業績一つで毛沢東は「終身独裁者」としての資格があるのです。

では鄧小平はどうか。鄧小平は早めに公職を引退したのですが、彼は死ぬまで事実上の最高権力者でした。なぜなら鄧小平には歴史的に大きな業績があるからです。彼は文化大革命の混乱から中国を経済成長に導いた。〝鄧小平と言えば改革開放〟という業績がある。

しかし習近平主席にはない。唯一、彼の業績と言えるのは「反腐敗」ぐらいです。しかし「反腐敗」は誰もが知っているように、仲間の腐敗は全然触らない。

だから習近平主席は今、毛沢東や鄧小平と肩を並べるような〝偉大なる業績〟を手に入れるために焦っています。もし、台湾を併合できたら間違いなく〝偉大なる業績〟になります。たとえ台湾がすぐ併合できなくても、台湾が香港の立場になっただけでもいい。それで彼は、鄧小平や毛沢東をもはるかに超えることになる。彼の独裁体制は不動のものになります。

例えば他の政策でどんなに馬鹿なことをしたとしても、台湾一つで彼の独裁体制が不動のものになると断言できます。毛沢東も二七年間、馬鹿な政策ばかり行っていましたが、それは彼の〝偉大なる業績〟に影響を及ぼさない。

門田　〝祖国統一〟は建国以来の悲願ですから、歴史に名を残し、文字通り毛沢東に並ぶために習近平氏は絶対にこれをやろうとします。

石平　そういう意味で、習近平主席はどうしても台湾を触りたい。

しかも、もし台湾への軍事行動が成功すれば、習近平主席は完全に軍を掌握できます。例えば毛沢東が死去し鄧小平が台頭しました。でも毛沢東の指名した後継者は実は鄧小平ではなく華国鋒でしたね。鄧小平が華国鋒を倒して、初めて鄧小平の時代が始まった。そのために鄧小平はベトナムに対する戦争を発動し、これで一気に軍を掌握しました。戦争一つできないでいては、軍の掌握はできないのです。つまり、台湾を軍事的に併合することは、軍の掌握にもなる。問題はどのような時期にそれをやるかということです。

バイデン氏の不作為

門田　トランプ政権の間はできませんでした。

石平　できないのです。というのは、習近平政権が台湾に対して何かアクションを起こすときに、いちばん恐怖感を持っているのはアメリカ軍が出てくることです。しかし、台湾に軍事的アクションを起こしたときにアメリカ軍が出てくるかどうかはわからない。日本には日米安保条約がありますから、条約に基づいて米軍が出てきますが、台湾の場合はわからないのです。台湾とアメリカは軍事同盟を結んでいるわけじゃない。米軍が出てくるかどうかは結局、アメリカ大統領の判断一つです。アメリカ大統領がやれと言えば、アメリカ軍は出る。やらないと言えば、やらない。そういうことです。

門田　アメリカには台湾政策を規定した「台湾関係法」という国内法があります。が、台湾は国として認められていなかったので同盟関係はない。トランプ政権は、米台の高官の相互訪問を促進する「台湾旅行法」をつくりましたが、それも国内法です。

石平　「台湾関係法」がカバーできるのは、せいぜい武器を供給し、台湾の防衛力の増強に協力するくらいのことです。

門田　つまりは、アメリカの若い兵士たちの血を流させてまで、アメリカが台湾を奪還する法的根拠は「ない」わけですね。

石平　そう。アメリカ大統領がどう判断するかだけ。もちろんその後、議会への報告が必要ですが当初は大統領判断。つまり習近平主席の「台湾併合」が成功するかどうかは、全部バイデンという大統領にかかっているわけです。バイデン大統領の胸ひとつで、瞬時に〝台湾の運命〟が決まる。これまでの彼の実績からすれば、九〇パーセント以上の確率でバイデン大統領は動かないと習近平主席は確信していると思います。

バイデン氏の大統領就任後、当然、習近平主席と首脳会談をしますね。そこでバイデン大統領が動かないという心証さえ得ることができたら、習近平主席はためらうことなく「台湾併合」を行う。

習近平主席がいちばんバイデン大統領に期待しているのはこれです。彼の任期四年の間、他に何もやらなくてもいい。唯一期待するのは「肝心なときに動かない」こと。それがすべてです。

門田　アメリカの、つまり〝バイデン大統領の不作為〟があればいい。それも「一日」か「二日」、アメリカ軍が〝待って〟いてくれれば、つまり「電撃侵攻」の邪魔さえしなければ、それでいいのです。

石平　そうです。バイデン大統領のその台湾有事での判断一つを買うためだけに、習近平主席は何千億ドル出しても惜しくない。アメリカ大統領のその判断は、いかなる法律にも束縛されていません。動くか、動かないか。それをバイデン大統領が判断するだけですよ。大統領権限で簡単にできることです。それでたとえ批判されたとしても、彼はいくらでも弁明ができます。

「電撃侵攻」シナリオ

門田　ここのところ、自衛隊の幹部たちと話していると出てくるのは、その「電撃侵攻」なんです。これこそキーワードです。アメリカ軍が即座に出てこないという水面下での〝約束〟があれば、中国は何かをきっかけにして電撃的に侵攻してきます。そして台北の総統府をはじめ重要施設を押さえ、蔡英文総統の身柄も確保するのです。

その上で、「これは中国の国内問題である。内政干渉は許さない」と世界に向かって宣言するのです。ロシアのクリミア併合と同じですよ。国連安全保障理事会（安保理）の常任理事国である中国は、ロシアと同じようにいくらでも拒否権を行使してきます。国際社会の非難など〝どこ吹く風〟で聞き流すでしょうね。

さっそく二〇二〇年一一月、中国当局によって台湾の「台湾独立派リスト」が作成されており、アメリカで新政権発足後にこれを発表する、という香港紙の報道がありました。

香港紙の報道を受けて中国政府の台湾事務弁公室は「台湾独立派頑迷分子」の監視リスト作成を進めていることを認め、環球時報は、このリストに掲載された者は「中国本土や香港、マカオの地を踏めなくなり、他国への訪問も危険な旅になる」と脅迫しています。

つまり、中国の「反国家分裂法」、もしくは刑法で定めた「国家分裂罪」などを根拠として、台湾への「電撃侵攻」があるということです。リストへの掲載を理由に誰もが中国入国時に拘束される恐れもあります。日本人も危ないですよ。

中国の目的は、中国共産党の敵を炙り出し、恐怖を与えることにあります。誰だって、いってみれば「指名手配書」に自分の名前が出て喜ぶ人はいない。香港国家安全維持法（国安法）に次いで、またしても中国がやってきたというわけです。これが中国共産党です。

石平　私もまったく同じ見方で、リストは当然、台湾侵攻の準備です。リストの公表は台湾の蔡英文政権に対しても大変な圧力になりますよ。

「台湾独立派リスト」とは、台湾独立を主張・画策した人物や活動資金の支援者が対象で、外国人も含まれる可能性があるという勝手極まりないもの。リストに記載されると「反国家分裂法」や「国家安全法」違反に問われる可能性があり、「生涯にわたって責任を追及」される。

門田　中国は、もうゴビ砂漠などで、台湾総統府とまったく同じ建物を造り、〝斬首作戦〟の演習まで行っているそうですね。つまり、蔡英文総統を拘束する電撃侵攻作戦が練られているのです。それは自衛隊の幹部も、台湾側も知っているし、警戒しています。米軍が即座に動かないなら、電撃侵攻が成功する可能性があるから厄介なのです。

米軍、国際社会がぐずぐずしている間にすべて終えて、「反国家分裂法」に違反した人間を国内法に基づいて武力で排除したことがなぜいけないのかと中国が開き直ったとしましょう。実際にその場合、どこが力で対抗できますかね。文句を言うなら「いつでも来い」と宣言をするわけですから国際社会の度胸が試されます。

中国の戦略というのは「既成事実化」なのです。今、チベットやウイグルで人々が弾圧されていますが、どれも最初は中国共産党人民解放軍による電撃侵攻でした。その後は〝国内問題〟として、「いらぬ干渉はするな」と言っていることを忘れてはなりません。

石平　それと同じやり方ですね。国内問題と言われてどの国も手が出せない。

門田　戦争をしてでもチベットやウイグル、香港の人々を解放する国がないことを中国はわかっている。だからこそ、同じように電撃侵攻に成功しさえすれば、台湾は中国のものになると彼らは確信を持っているわけです。

暴露された中国の対米工作

石平　だからトランプ政権の政策は正しかったのです。

門田　そうですね。トランプ政権は、中国と台湾との「一つの中国」にも「そうではない」としてきたわけです。これも腹が据わっている。「一つの中国」に異議を唱えたのは、唯一、トランプ政権だけです。これは、彼しか言えないですよ。

石平　そのあたりが歴代の大統領とはまったく違う。

門田　ポンペオ国務長官は二〇二〇年一一月一二日、アメリカのラジオ番組でこう強調しています。

「台湾が中国の一部でないとの米国の立場はレーガン政権時代から三五年にもわたっ

て続いている」

　これに台湾外交部（外務省に相当）の歐江安報道官は「台湾は主権を持つ独立国であり、中国の一部ではない。これは事実であり、現在の状況だ」と述べてポンペオ国務長官に謝意を示したわけです。中国外務省は「中国の核心的利益を損ない、中国の内政問題に干渉するような態度を取れば、中国による毅然とした反撃に遭う」とのコメントを発表しました。

　台湾問題については、「一つの中国」論が厳然と聳え立っていますから、ここに物言うことなど、トランプ氏のほかには誰もできません。彼はもともと政治家ではありませんから、しがらみがない。だから、おかしいことにはズバリと切り込んできます。中国側から見たら、信じられないほど厄介な存在ですよ。

　私がトランプ敗退で残念なのは、トランプ政権がこの「一つの中国」を打破する方向に確実に進んでいたからです。キャンセルになりましたが、トランプ政権はクラフト国連大使を一月一三日から一五日に台湾訪問させると発表していました。私などは台湾が国連から脱退した一九七一年以降、初めて国連大使として訪台することに大いに期待を持ちました。

また一月九日にはアメリカの外交官や軍人、政府関係者が台湾の当局者らと接触するのを制限してきた国務省の内規を全面的に撤廃することも発表しました。中国の意向などこれからは一切、聞かないという姿勢を示したわけです。

ああ、トランプ政権さえ続けば、台湾は、また国際社会に復帰できる可能性も出てきたなあ、と思いました。なにより台湾がアメリカの大きな力のもとに安全を維持できることが嬉しくてなりませんでした。しかし、バイデン政権誕生ですべて夢と消えました。これは、多くの台湾人の命にかかわる話です。だから、残念でならないのです。

石平　二〇二〇年一二月にアメリカで大変話題になり、トランプ大統領がツイッターでリツイートするなどして日本でもよく知られるようになった動画があります。ある中国人教授によるオンライン講演の動画です。

門田　あれは衝撃的な内容でしたね。中国国内では削除されたそうですが、すでに世界中に動画が拡散されています。

石平　簡単に言えばこの動画によって、三つのことがはからずも明らかになりました。一つは中国共産党政権による対米工作の実態、二つ目は中国はバイデン政権に期待していうということ、三つ目は中国はウォール街を中国金融市場に誘い込もうと考えていること。

門田　はからずもね（笑）。

石平　そう。彼はこの講演で、外国人に国内の金融市場を全面的に開放し、中国を世界最大の国際金融センターにしていくべきだとの主張を力説した。力説するあまり、つい中国の対米工作について生々しく恐ろしい発言を次から次へとしたわけです。

門田　つい言っちゃったと。この人は中国共産党にとってどういう人ですか。

石平　中国共産党政府と非常に近い関係です。

　問題の講演を行ったのは、中国人民大学国際関係学院副院長で、同大学教授の翟東（てきとう）昇（しょう）氏です。彼は金融学修士号、国際政治学博士号を取得した専門家で、中国政府の国家発展改革委員会、中央外事工作領導小組弁公室、外交部、中国共産党中央委員会対外宣伝弁公室、統一戦線工作部、軍事科学院など各部門から要請を受けて、講義や座談、企画などの活動を長年にわたって行ってきた人物。中国共産党政府のブレーン的な存在です。

　つまり著名な学者というだけでなく、中国政府と非常に濃密な関係があり、共産党の対外工作、対外宣伝に深く関わっていると見てよいと思います。

その翟教授が二〇二〇年一一月二八日、上海を拠点にネットで映像配信を行う会社が主催したオンライン講演会で、まず次のようなことを話しました。
・一九九二年から二〇一六年まで、米中間でどんなに深刻な問題が起きてきても、われわれ（中国）はそれをコントロールすることができ、米中関係はわれわれの「手の内にあった」。
・その最大の理由は、アメリカの上層部にわれわれの味方の人間がいること、米国の「権勢核心層」に中国の「老朋友（古い友達）」がいることにある。
・アメリカの政治エリート・上層部をわれわれに繋げるのはウォール街であり、米国の政界と権力中枢に強い影響力を持つウォール街はわれわれの味方である。

バイデン政権だから大丈夫

門田　つまりウォール街は中国の味方であり、そのために米中関係はコントロールできたということを述べたわけですね。これだけでも当事者が言うのだからすごいことですよ。

石平　そうです。しかしもっとすごいのは、この「ウォール街が中国の味方だ」という自説を証明するために披露した、彼自身が体験した次のエピソードです。

・二〇一五年の習近平主席訪米前、党のある部門はその「ムード作り」のために、ワシントンのある書店で習近平著作の英語版の出版発表会を企画。最初は書店の主人は日程上の理由でそれを拒否したが、中国側の工作の結果、予定通り開催できた。

・中国関係者からの依頼を受けて書店に圧力をかけて発表会を実現させたのは一人のアメリカ人の老婦人。彼女はウォール街のトップ金融機関のアジア地区の総裁を務めた人間で中国通。北京語もぺらぺら。中国国籍と北京市の戸籍だけでなく、長安街の隣にある東城地区に四合院（中国の伝統的な邸宅）を所有しているという。

これらはあまりにも怪しい話ですが、この講演動画が拡散されてから、在米中国人がネット上を調べたところ、この出版発表会の話は本当だったのです。出版発表会当時の翟東昇教授と謎の老婦人の写真が出てきた（笑）。

門田　ウォール街の重要人物が実在したと。

石平　その重要人物は中国と米国の国籍を持っているという話でしたが、本来、中国籍を持っている人間が米国籍は持てません。が、これはつまりこの老婦人が中国共産党にとって〝特別な人物〟だということです。中国では共産党の胸一つで、法律なんてあってないようなもの。人治の国ですからね。

そもそもアメリカ人は習近平主席の本なんて読まないでしょうが、たかが出版発表会で中国はここまでやるのです。これ自体は出版発表会という小さな話ですが、中国による対米工作の実態を垣間見られる面白いエピソードです。

門田　ウォール街の大物が出てきているわけですからね。中国による対アメリカ工作がすごいことを物語っています。

石平　しかも自らそれを披露した（笑）。

さらに翟教授は、ウォール街との関係についてこう述べています。

・二〇一七年にトランプ政権誕生後、ウォール街を通してアメリカを動かす手法は通じなくなった。トランプ政権が中国に対して貿易戦争を発動したとき、ウォール街は実はあの手この手で中国を助けようとしたが力が及ばなかった。だから貿易戦争が起きた。

・しかし今、バイデン政権になろうとしている。バイデンの息子はあちこちでファンドを作って商売しているると言われるが、誰が彼のためにファンドを作ってあげたと思うのか。その背後にはあるのは取引である。

・したがって今は、われわれは「善意」を示す時である。

中国人は「善意」と聞けばみんなわかります。いわば「袖の下」ですね。

門田　裏に「取引がある」と教授が言ったとき、会場は拍手喝采でした。

石平　では翟教授の話から何が見えてくるのか。

翟教授は、中国は金融市場を開放するべきとの持論を展開するにあたって、ウォール街を持ち出しました。中国にとってのウォール街の重要性を訴え、金融市場開放によってウォール街を中国に誘い込み、完全に中国の味方にすることのメリットを力説したわけです。

そのために、中国がウォール街を通してアメリカの政界と権力中枢に浸透し、米国の対中政策を左右するための工作を展開している実態、自分だけが知っている実話を暴露したのです。暴露するために暴露したのではありません(笑)。

門田　ウォール街の重要性をアピールするために、自分たちの対米工作の実態を持ち出したということですね。中国の増長ぶりがうかがえます。

石平　そう。中国の裏工作を自ら暴露したことに、彼自身が気づかなかったことが誤算です（笑）。

翟教授はバイデン氏の息子、ハンター氏の話も持ち出しました。

門田　誰に聞かれたわけでもないのに。

石平　聞かれたわけでもなく、自ら持ち出したのです（笑）。バイデン氏にしてみれば、「おいおい、おまえ、なに言ってくれているんだよ」「あほか」と。

門田　「今、言いますか」という話ですね。

石平　彼は演説でハンター氏がウォール街とも中国とも癒着関係にあることを示唆し、「バイデン政権」に対する期待感を露わにしました。

今後、バイデン政権になったとき、中国がウォール街を通じてアメリカの政界を動かす「米国政界・ウォール街・中国共産党政権」という闇の連携が復活してくるのではないかと思わせる講演内容だったわけです。

門田　トランプ政権はむしろウォール街と距離を置き、排除してきましたね。

石平　だから対米工作がうまくいかなかったと教授自身が述べています。そして結論として「今後は大丈夫だ」と言っているのです。

「一つの中国」を捨てたトランプ

門田　この動画を見ると「わかってはいたけれど」という思いですね。ウォール街が中国と通じていることは状況証拠がある。しかし、当事者が「証言」したことが貴重です。

問題は、「では、日本はどうなのか」ということです。

石平　日本でも、中国共産党政権が同じような浸透工作を推進していると容易に推測できますね。問題は日本の「ウォール街」は一体どこなのかという話ですよ。それが永田町なのかどこなのかわかりませんが。

門田　話を戻すと、しがらみがないからこそトランプ政権は「一つの中国」に異議を唱えることができたと言えます。

そしてここで重要なことは、中華人民共和国は一度も台湾を支配したことがないということ。台湾には総統府もあれば、国防部（防衛省に相当）もあれば、外交部（外務省）も、衛生福利部（厚労省）も、教育部（文科省）もある。つまり、すべての統治機構が整っています。かつては国連安保理の常任理事国であり、拒否権も持つ〝五大国の一つ〟だったわけだから、当然ですよね。台湾が自分の国の一部などという中国の言い分は、壮大なる虚偽といっていいわけです。

石平 中国が勝手に「一つの中国」と言い続けているだけ。

門田 こんな論理がまかり通るなら、日本には朝鮮併合の歴史がありますから、日本が「韓国・北朝鮮は私の国だよ」と言ってもいいことになる。中華人民共和国には全く「理由」がありません。そんな滅茶苦茶なことを中国が言い続けているわけですが、これまでは世界中のどの国も口を差しはさめなかったんです。

石平 それをトランプ大統領はやりました。二〇一六年一二月二日にトランプ氏は一九七九年以来初めて、正式な外交関係のない台湾の蔡英文総統と電話会談を行って、しかも蔡英文総統を「プレジデント」と呼んだ。トランプ氏はツイッターに蔡総統を指して〝The President of Taiwan〟と書き込み「キッシンジャー路線」をゴミ箱に捨てました（笑）。

門田 そうです。最初にそれをやりました。その後もアメリカは二〇一八年三月一六日に台湾旅行法を成立させるなどどんどんレベルを上げてきています。コロナ禍の後は、二〇二〇年八月九日から四日間、新型コロナウイルスの感染対策などで関係を強化するとしてアザー厚生長官が台湾に滞在。同年九月一七日から三日間はクラック国務次官が李登輝元総統の告別式へ参列するとして台湾を訪れました。いずれも蔡英文総統と会談しています。

私はトランプ政権が続いていたら、早い時期にポンペオ国務長官が台湾を訪問するところまで行ったと思います。そうなれば、中国とは逆の「既成事実化」がどんどん進んでいったはずです。日米豪印四カ国戦略対話「クアッド（QUAD）」に台湾がプラスアルファとして加わることは、秘かに四カ国の間で話し合われていた。だからこそ台湾を〝国〟として扱う方向で既成事実化が必要だったわけです。

でも、バイデン政権になると、そんなことはあり得なくなります。

しかも前述のように「台湾独立派リスト」の問題もある。台湾の蔡英文総統はいずれ訪米するだろうと言われていたけれども、中国は「台湾独立派リスト」でそれを封じようとしています。リストには「蔡英文」と書いてあるはずです。ですから蔡英文総統が訪米したら中国に反国家分裂法適用の「口実」を与えることになる。「アメリカに行かせないぞ」ということです。

もともとバイデン政権なら、蔡英文総統の訪米の可能性はあり得ませんが……。

台湾は無傷で手に入れたい

石平　「電撃侵攻」と「既成事実化」によって中国は台湾を取りにくるということ。

門田　すでに〝国家〟としての実績を積んでいる台湾をいきなり〝火の海〟にするのは、世界中が納得しません。ですから、火の海にするのではなく、電撃侵攻してあっという間に決着をつけ、法律を適用したという形をあくまでも取りたいわけです。

その後、台湾の軍との激しい戦いが続いた場合どうなるか。そこでまたバイデン氏の判断が重要になります。台湾の国内で〝内戦〟が一週間、二週間と続いているとき、バイデン大統領はどうするかということです。

今、中距離弾道ミサイルの戦力は、中国の方がアメリカより上であることも忘れてはなりません。

石平　中距離核戦力全廃条約（ＩＮＦ）がアメリカとソ連の間にあったので、米ソは全廃しましたからね。

門田　開発もしていなかったのですよ。その間に、中国はアメリカを凌駕したわけです。中国は中距離弾道ミサイル「東風（ＤＦ）26」を二〇〇発以上保有し、アメリカを上回っていると米国防総省自身が認めています。この「東風」系列のミサイルは、通常弾頭と核弾頭のどちらも搭載でき、空母などの大型艦艇に対する攻撃も可能とされます。そのため、射程の違いで「グアムキラー」や「空母キラー」などと呼ばれています。

つまり、米軍も空母打撃群がやられる恐れがあるので、神経を尖らせています。だから、アメリカとしては心の中では「やりたくない」というのが本音でしょうね。この四年間で台湾電撃侵攻の可能性はかなりあります。中国は国際的な圧力を受けない、打撃が少ないタイミングを計りに計ってくるでしょうね。

石平　電撃作戦のあとに続くのが、さっき門田さんが言った台湾軍の戦いですね。台湾の軍がどう動くか。もし台湾の軍が徹底的に抗戦するならば、戦争は長引きます。人民解放軍にとっては、中華民国軍との戦争が台湾で展開されることになる。

長引けば、世界が見ていますから、市街戦をするにしても、何をするにしても、中国にとってはいろんな意味でリスクがあると思います。

また、台湾が焦土化すれば、その場合も中国は得るものが少なくなる。

中国は、総統府以外は無傷のまま台湾を手に入れたいんですよ。

「統一戦線」作戦

門田　中国が喉から手が出るほど欲しい半導体の会社が台湾にありますからね。

石平　そうそう。半導体受託生産の世界最大手である台湾のＴＳＭＣ（Taiwan Semiconductor Manufacturing Company）という企業。あれを手に入れただけで、もう中国は半導体産業が安泰になります。アメリカから中国包囲網を敷かれて、この間、いちばんのネックになっていたのが半導体問題です。それが一気に解消される。

今、ＴＳＭＣの技術は二ナノメートルのところまで行こうとしてる。中国は政府が支援する会社でも一四ナノメートルしかできない。つまり台湾を手に入れることで台湾の技術を手に入れて、半導体分野で一気にアメリカさえ凌駕する最先端へ行けるのです。

門田　だから蔡英文総統はＴＳＭＣへ乗り込んでいって、頼むからトランプ大統領の言う通りにしてくれと説得したぐらいですからね。トランプ大統領はＴＳＭＣにアメリカでの工場新設を求めていました。アメリカはファーウェイへの制裁を行ったので、ＴＳＭＣはファーウェイに半導体を供給できなくなった。トランプ政権による中国包囲網において、非常に重要な企業です。

石平　だからこそＴＳＭＣを無傷で手に入れたい。斬首作戦に近い電撃侵攻であれば、中国共産党はいちばん少ないリスクで大きな利益を得ることになります。

しかも、その際には、中国共産党が今まで得意にしてきた「統一戦線」作戦を行うでしょうね。敵は一部だけに絞って、それを徹底的に排除する。他の連中は関係ないとする。

例えば台湾の軍に対しては「反抗さえしなければ、おまえたちの一切の罪を問わない」というわけです。地位も安泰だとする。これは、中国共産党の人民解放軍がかつて国民党軍と大陸で戦って勝利したときに使った手です。要は国民党軍の内部分裂を招く。

そうして台湾の軍の戦意をまず喪失させるのですよ。国と国との戦争であれば、徹底抗戦した末に捕虜になっても、ジュネーブ条約によって保護されますね。しかし、台湾との戦争は中国の解釈では国と国との戦争ではない。だからこそ台湾の軍に対して「反抗すれば徹底的に処罰する」「反抗さえしなければすべて安泰だ」ということに効果があります。

台湾国民に対しても、台湾の経済界に対してもすべて同じことを言う。おとなしくしてくれれば、経済システムも社会システムも、全部保証すると言うわけです。昔、香港に対して言ったのと同じようなことですね。

ですから最悪のシナリオは、電撃作戦が行われアメリカ軍が動かない。台湾の軍が内部分裂で抗戦しない。中国は最小限のリスクで台湾を丸ごと手に入れる。しかもアメリカは今、大量に最先端兵器を台湾に売っていますが、それもそのまま中国が手に入れる。

そういう可能性が考えられます。

台湾併合の「錦の御旗」

門田　中国と台湾はいまだ内戦状態ですからね。中華人民共和国は一九四九年一〇月一日に成立しました。毛沢東が北京の天安門の上で甲高い声で「成立了（チョンリラー）」と宣言したわけです。

石平　「中華人民共和国が成立したよ〜」と毛沢東が言ったと。

門田　しかし、内戦は続いているわけです。

石平　ここが非常に重要で、習近平氏らからすれば、台湾の侵攻に踏み切る好材料がいろいろあります。蔣介石の国民党は国共内戦で敗れて大陸から撤退し台湾に逃げました。そこに大陸の中華民国政府を移しました。でも国共内戦の決着はついていないわけです。

門田　そうですね。蔣介石と共に台湾に逃げてきた中国人を台湾では外省人と言いますが、もともと彼らは中国共産党と大陸の覇権を争って内戦をしていた人たちであり、その子孫です。しかし、長い年月で逆にその外省人が〝親中〟になってきた。一方、台湾にはもともと本省人と呼ばれる大多数の生粋の台湾人がいる。李登輝総統による民主化・自由化によって「台湾人」のアイデンティティが確立され、本省人はなんとしても自由と人権の社会を守りたいと考えています。多くの日本人が本省人を支持していますね。

石平　ですから台湾の国軍がどこまで中国共産党政権に対して台湾を守る決意があるかがわからないのが懸念材料の一つ。

もう一つ、懸念があります。一八六八（慶応四）年、京都で鳥羽・伏見の戦いがありました。薩摩、長州を中心とする明治新政府軍と旧幕府軍による戦いです。そのとき、薩長が「錦の御旗」を立てたら、旧幕府軍は一斉に勢いをなくし、敗北しましたね。江戸時代には一般庶民は天皇陛下を知らなかったのですよ。それでも新政府軍が「錦の御旗」を出したらやっぱり天皇に対して畏れを抱いたわけです。

私の懸念は、中国共産党が台湾と戦うときに、場合によっては「錦の御旗」を出してくるということ。

門田 何ですか？

石平 「孫文」です。

台湾の蔡英文総統は、総統就任式で誰に対して宣誓したか。国民ではなく、中国国民党の創設者で「国父」である孫文に対してです。一方、中国共産党も毛沢東時代から一貫して孫文をまた神様としているんです。共産党もまた自分たちは孫文の後継者だと自称しています。つまり、孫文は今、台湾と中共の両方が奪い合っている存在。

だからこそ孫文は今でも一種の「錦の御旗」として使えるわけです。

しかも、まずいことに「中華民族」を言い出したのも孫文ですよ。三民主義という一九〇五年に孫文が発表した中国革命の基本理論がありますね。

三民主義とは、民族主義、民権主義、民生主義（経済的平等）です。

これは中国国民党の基本理論であり、台湾（中華民国）の憲法にも書いてありますが、毛沢東もこれを基礎にして理論を打ち立てています。

要するに「孫文」という「錦の御旗」を中国が出してきたとき、台湾軍がどこまで抵抗できるかという懸念を私は持っています。

台湾軍の微妙な立ち位置

門田　孫文の「錦の御旗」は、逆に台湾が持っていると思いますよ。孫文が建てたのが中華民国であり、それと戦ったのが中国共産党ですから。内戦の話で言うと、私の知り合いも台湾の軍に入って軍務をこなしているわけですが、みんな学力が高いから、昔の兵役とは違うわけですよ。もういまどきの知識ある人たちは、大した戦いができないという問題もあります。もし「抵抗するのはやめておけ」と中国に言われた場合、どこまで徹底抗戦できるか。

石平　台湾軍は中華民国国軍、もともと国民党の軍隊ですよね。つまり軍隊のルーツは大陸です。現在の台湾軍の実態はどうなっているのでしょうか。もう大陸から来た外省人はいいない？

門田　台湾の軍はずっと外省人が支配してきました。私が二〇一〇年に『この命、義に捧ぐ　台湾を救った陸軍中将根本博の奇跡』（現在は角川文庫）を書いた時点でも、本省人より外省人のほうが国防部内では圧倒的に力を持っていましたね。だから、軍は本当に〝最後まで〟台湾のために戦い抜くのかという問題もあります。

しかも、軍の指揮官クラスが本省人ではなく外省人である場合が多いので、日本の自衛隊OBも交流するときに非常に気を遣うそうですね。相手方がどういう立場、どういう思想なのかわからないと、迂闊に本音がしゃべれないですから。

国交がないので、そもそも自衛官は正式に台湾に行けません。だから退官した陸上幕僚長や海上幕僚長など元幹部が台湾の軍と交流します。みんな自衛隊を辞めてから、台湾に行くんですよ。台湾もそれを現役の延長みたいな形で受け入れて交流している。

そういう人たちの話を聞くと、最近でこそ「台湾軍は戦い抜く気迫がある」と言う人が出てきましたが、これまでは「やっぱり外省人の組織だからね」という意見が多かったのは事実です。

日本台湾交流協会がありますね。この台北事務所は正式に国交がない台湾での実質上の日本大使館で、自衛隊からの出向者、つまり武官もいるわけですよ。私がその人たちに取材協力を求めたら、国民党時代は非常に非協力的でしたよ。

石平　どうして？

門田　私が取材している内容が国民党にとって不利な話だったからです。ものすごくナーバスで「ちょっと勘弁してください」となります。相手は立場や、外省人・本省人の生まれなど、複雑な背景を抱えていますから、相手の受け取り方次第で不利益が生じるかもしれないからです。そのときにへえっと思いましたね。要は国防部と国家安全局（情報機関）は、国民党、つまり外省人の牙城だったわけです。

例えば韓国で、今の文在寅大統領も含め、保守系以外の政権が何をしてきたかといえば、昔のＫＣＩＡ（韓国中央情報部）である国家情報院（情報機関）や韓国軍の幹部を入れ替え、次の局長を入れ替え……と、断続的に人事刷新をはかって、自分たちの思い通りに動く人間を配置してきたわけです。文在寅氏たちにとっては、昔は自分たちを取り締まっていた側の組織ですからね。これを根こそぎ変えようとしているわけです。しかし文在寅大統領の人事が下のほうまで浸透したかどうかは今でもわからない。せめぎ合いをしているわけです。だから難しい。

台湾のほうは、その逆のパターンです。今、民進党が、国民党の牙城だった国防部や国家安全局の改革を続けているわけです。これが完全に終了したかどうかはわからない。だから、中国との戦いのときにどうなるかはいまだにクエスチョンです。

私が台湾人にその疑問点を言うと、もう大丈夫、ほとんどの台湾人に台湾人としてのアイデンティティがあるから、それは克服された、と言いますよ。しかし、心配は心配ですね。

石平　そこが問題なのです。台湾は独立した国家ですよ。しかし中国と戦争をやる場合、普通の二国間の戦争とは違う様相を呈します。

台湾併合の準備

門田　いつもの共産党のやり方を考えると、国民党の中の外省人たちに何かをさせて、そこから動くための口実、あるいは救援要請的なものを創り上げて電撃侵攻するということも考えられますね。

石平　あります。台湾というのは面白い国で、元立法委員（国会議員に相当）で、邱毅氏という人がいるのですが、今でも台湾のメディアで堂々と、中国による武力統一を期待すると言っている（笑）。

さすがに、いくらなんでも日本では、立憲民主党の元議員が白昼堂々「中国による日本侵略を期待する」とそこまで言えないでしょ。しかし、台湾では少なくともそういう人がいる。しかも堂々と言えるんですよ。

門田　複雑な歴史を持っていますからね。中華民国の立法院（国会）には「私は遼寧省の代表です」「私は河北省」「私は四川省の代表」と、それぞれの代表である年寄りの人がいました。私は、八〇年代に、そんな人に何人も会いましたよ。

石平　そう。蔣介石時代には遼寧省や四川省の代表がいた（笑）。これは蔣介石の限界なのですよ。蔣介石自身も「唯一の中国」という考え方だった。

門田　蔣介石の生涯の夢は「大陸反攻」ですからね。「一つの中国」は中華人民共和国、中華民国、双方が言っていた。中華民国の立法院もあくまで「一つの中国」の代表ということで、各省の代表がいた（笑）。これを憲法を改正して廃止したのが李登輝総統です。

石平　一昔前までは「自分を中国人だと思う」という人が台湾に多かったし。でも今の台湾はずいぶん違いますね。

門田　李登輝元総統の教育改革「認識台湾」によって徐々に変わってきました。台湾アイデンティティを李登輝氏が見事に創り上げた。二〇一九年から二〇二〇年の香港情勢も大きかったですね。今度の新型コロナウイルスでの台湾の戦いを見ると、自由と民主主義を世界で最も守ろうとしているのは台湾人だとも言えます。

しかし、先にも述べたように軍の中がどうかはわからない。しかも中国の国防費は表向きのものだけでも台湾の一六倍と圧倒的な軍事力の差もあります。専門家によれば、中国の国防費は総額では四〇兆円を超えると言われます。だからアメリカは台湾関係法によって武器売却をしているわけです。

参議院議員の佐藤正久氏によれば、台湾への武器売却はオバマ政権では八年間に三回（フリゲート艦二基、PAC－3を一一四基含む）ですが、トランプ政権は四年間にすでに八回で、M1A2戦車を一〇六両、F－6C／Dを六六基も供与している。それでも戦力格差は大きく「例えば台湾はF－16が一四三機に対し中国は相当戦闘機が一〇八〇機」だと佐藤正久氏は述べています（佐藤正久氏ツイッター、二〇二〇年一〇月二四日）。

石平　中国が最近、RCEP（東アジア地域包括的経済連携）に加入しましたね。別の見方をすると、RCEPは台湾併合の準備の一環とも考えられます。

例えば、中国が台湾併合に動けば、たとえアメリカ軍が動かなくても建前上、国際社会は経済制裁くらいはやるでしょう。トランプ政権以上の経済制裁くらいはやるかもしれない。バイデン氏がやらなくても、議会がそのお尻を叩く。その経済制裁の衝撃を最小限にとどめるためにも、このＲＣＥＰは使えるわけです。日本はこれがあっても制裁できますか？　つまり、国際社会が中国に強く反発し経済制裁に至るときに、これが一種の保険になるとも考えられます。

こうして最近起きていることを連結して考えてみたら、すべて一つの目標に向かっている。さらに言えば、バイデン当選そのものも中国の台湾併合工作の一環とも読めます。

門田　二〇二〇年六月からトランプ大統領が懸念を表明していたわけですからね。「何百万の郵便投票用紙が外国やその他の勢力によって印刷される。それは私達の時代のスキャンダルになる」（二〇二〇年六月二二日）

トランプ大統領はこうツイッターで警鐘を鳴らしていたわけです。マスコミをはじめとする中国の野望に気づかない人たち、あるいは親中勢力によって、疑惑もトランプ陣営の叫びも封じられ、バイデン勝利は既成事実化されていった。この世界の実態、日米の実態を考えると、私は背筋が寒くなります。

現実にバイデン氏が勝利したことで、東アジアの危険度は一気に上がりました。これからの日本と台湾は、うかうかできません。すでに中国は実際に「戦時状態」を宣言していますからね。

「戦時状態宣言」

石平　昨年末から中国各地では「戦時状態宣言」が乱発されています。

・二〇二〇年一二月八日、四川省成都市内在住の夫婦がコロナ感染と判明したことを受け、四川省政府は「迅速に戦時状態に入る」と宣言。
・一二月一〇日、黒竜江省東寧市内で新規感染者一人が見つかったことで、東寧市政府は「戦時状態入り」を宣言。
・一二月一一日、黒竜江省塔河県内でロシアからの帰国者の一人が感染確認されたことで、塔河県政府は一二日に「戦時状態宣言」を公布。
・一二月二〇日、遼寧省大連市で新規感染例一つが確認されたことで、市政府は「即時に戦時状態に入る」と宣言。

・一二月二六日、北京郊外の北京市順義区で新規感染者二人の確認を受け、市政府は順義区全区の「戦時状態入り」を宣言。
・一二月三〇日、遼寧省省庁所在地の瀋陽市で二九日から二人の新規感染者が見つかったことで、市政府は「全面戦時状態入り」と宣言。
・二〇二一年一月三日、河北省石家荘市で新規感染者一人が見つかったことで、市政府は「迅速な戦時状態入り」と宣言した。

以上のように、中国の各地方政府は今、一名、二名というごく少数の新規感染者が見つかっただけで、数百万人規模から一千万人規模の大都市でもいきなり「全面的戦時状態入り」と宣言するのが慣例となっています。コロナ対策にしてはあまりに大げさで、非常に異様だと思います。

門田　中国の新規感染者数はフェイクでしょうけれども、それにしても異様ですね。

石平　中国以外の世界各国では、一日数万人単位の新規感染があっても「戦時状態宣言」を出した国や地方は皆無と言っていいでしょ。

門田　ロックダウンはしましたけどね。

石平　もちろん中国の場合、各地方政府が勝手に自分たちの判断で「戦時状態」という際どい言葉を使って「戦時状態宣言」を出しているとは思えません。中央政府、すなわち習近平政権からの指示があるからこそ、各地方政府は同じような表現を用いて「戦時状態入り」宣言を乱発しているのです。

では習近平政権が各地方に「戦時状態宣言」を乱発させる意図はいったい何か。

一月五日、人民日報一面トップ掲載の「習近平2021年第1号命令」にあるのではないかと思います。

習近平氏は一月四日、共産党中央軍事委員会主席として、「中央軍事委員会2021年第1号命令」に署名し発令しました。これは全軍に対する「訓練開始動員令」で、人民解放軍全軍に対し「全時間帯で戦争に待機し、いつでも戦える体制を確保」するよう軍事訓練を急ごうと号令したものなのです。

こうしてみると、中国の各地方政府がコロナ対策と称して「戦時状態宣言」を乱発していることの理由もわかってきます。要するに、本物の戦時状態の到来に備えて、国民を「戦時状態」に慣れさせるための心理的戦争準備であると考えられます。

バイデン政権下でのアメリカの弱体化とバイデン政権自体の対中弱腰を見据えて、習近平政権は台湾を標的にした戦争準備を着々と進めているのですよ。

門田　バイデン氏を支持し、票を投じた人、そして日本にあっても、トランプ氏を貶め、バイデン氏を持ち上げ続けたメディアや評論家は、ひょっとしたら「即座に」、あるいは、この「四年間で」、どんな悲劇が台湾で起こるか、よく見ておいて欲しいんですよ。私は、どんなことがあっても起こって欲しくないと思っていますが、〝一つの中国〟打破という世界のタブーに挑戦しようとしたトランプ―ポンペオ体制が終焉すること。これによって助かる命が救われなくなるかもしれないんですよ。

習近平国家主席は、二〇二〇年一一月二五日、中央軍事委軍事訓練会議で演説し、「戦争準備への集中」を訴え、訓練の強化をすでに指示しています。二一年一月四日、全軍に対する訓練開始動員令に署名し、発令したのは、その仕上げです。

習氏は演説の中で「訓練は戦闘力向上の基本である。そして、最も直接的な軍事闘争の準備でもある」と強調しています。つまり、「実戦は近いぞ」という宣言でもあります。台湾への電撃侵攻はまさに「いつあってもおかしくない」状態なんですよ。勝つべき人が勝たず、勝つべきでない人が勝ってしまったアメリカ大統領選が本当に恨めしいですよ。

第二章　もし中国の属国になったら

日本から搾取し放題に

門田　中国によるチベット、ウイグルへのジェノサイド、内モンゴルの文化破壊、香港では「一国二制度」が葬り去られ、人権弾圧……。次は台湾が危ない。つまり中華帝国は着々と拡がっています。それでも日本人はこの恐ろしさに気づきません。日本が中華帝国の「華夷秩序」に組み入れられたらどうなるのか、まるでわかっていない。

石平　日本は一億数千万人の人口を持つ独立国家ですから、中国に占領され、その一部になるのは最悪のパターンで可能性はいちばん低い。

しかしもし、日本が「華夷秩序」に組み込まれたら何が起こるのかと言えば、日本が実質上の中国の属国になるということです。中国の属国化で最も恐ろしいのは、日本がすべて中国の意向に従って行動しなければならないということ。

門田　今でもかなりその状態に近いですが、①中国が日本の物理的支配者になる場合と、②中国が日本の実質的支配者になる場合とをきちんと分けて考えた方がいいですね。

①の「中国が物理的支配者になる場合」ですが、日本は中国の〝日本自治区〟にな

るか、〝東海省〟になると長年言われてきました。私は九〇年代の初めから、二〇一五（平成二七）年には日本は中国の〝一つの省〟になると聞いてきたので、「二〇一五年」が過ぎたときにホッとしたものです。

②の「中国が実質的支配者になる場合」は、石平さんが指摘されたように、日本が何でも中国の言う通りにするしかない状態に置かれる。日本民族の歴史と財産、築き上げた技術や文化がすべて中国に持っていかれる状態です。悲惨ですよね。こうなると、中国の世界支配は、もう誰にも止められません。

石平　日本が中国の属国になると日本は黙って次のようなことを受け入れなければならないと思います。

・中国が靖国神社を焼けと言えば焼いてしまわなければならない。
・中国が日本に〝南京大虐殺三〇万人〟について一人につき一〇〇〇万円、あるいは五〇〇〇万円の賠償金を払えと言えば、払わなければならない。
・日本の技術はすべて中国に開放しなければならない。
・日本企業への出資を中国の投資家に開放しなければならない。

要するに実質的に、もう中国に乗っ取られてしまうも同然ということです。

中国は日本に対する長期戦略を「生かさず殺さず」にするでしょう。徹底的に日本から搾取し、日本を利用する。日本は主権を失ったも同然。

「日本」が消える

門田　日本が中国の属国と化すと、中国は日本の力を使ってさまざまな分野で世界のトップになります。日本の惨めさは譬えようもありません。

石平さんが〝南京大虐殺〟の戦争補償の話を挙げてくれましたが、こうも考えられます。中国は二〇一四年に「南京大虐殺犠牲者国家追悼日」なるものを制定しましたね。一二月一三日に南京で式典を行っていますが、それが東京のど真ん中で行われるかもしれません。

石平　きっと日本の総理大臣は毎年「南京大虐殺記念館」に行って、土下座して謝らなければならないですよ。さもなければ、占領するぞと脅されるわけです。そういうことが想定されますね。

門田　すでに「土下座」せんばかりの首相もいましたけれども。

石平　日本は独立国なのに、すでに華夷秩序に組み込まれているような精神の日本人が多いのです。不思議な話ですよ。

属国化すると、中国の経済圏に組み込まれ「中国のために働け」ということになる。日本は経済的にも、政治的にも、中国の言いなりに甘んじることになります。

平身低頭して、国際政治の場では中国に追随する。

門田　人権とか世界平和とか一切なにも言えません。

石平　日本の漁場では中国の漁船が獲りたい放題になりますね。

門田　日本海の大和堆では、すでにそうなりつつあります。大和堆は日本の許可なしに操業できないＥＥＺ（排他的経済水域）内にありますが、中国漁船の違法操業が急増しています。大和堆周辺で水産庁が退去警告をした中国漁船は二〇一九年は一一一五隻でしたが、二〇二〇年は四〇三五隻（一一月五日時点）に急増。中国は大型船で根こそぎ魚を捕り〝何か文句あるのか〟という態度です。

石平　それが様々な分野で常態化します。

だから日本国民の生活は〝辛うじて食べていける〟程度のものになる。中国からすれば、当然ですよ。「日本は〝犯罪民族〟だから俺たちより贅沢な生活をする資格はない」ということなのです。なぜ〝犯罪民族〟なのかは後章で述べます。

そんなふうに日本人は中国への贖罪の日々を送ることになるでしょうね。

中国人は来日し、日本人を見下して観光する。日本は医療が非常に発達していますが、それは中国の富裕層のためのものになる。そうなります。

門田 今、内モンゴルは「モンゴル語教育禁止」となり、中国語教育を強制されていますね。その内モンゴルでモンゴル語教育を守ろうとした若い母親たちが、中国に監視カメラを使って指名手配されています。チベットやウイグルで行ったことを今、モンゴルで白昼堂々行っている。同じように、中国が日本の実質的支配者になれば「日本語も使うな」と禁止されていくでしょうね。

石平 今までにも中国は日本の教科書に口を出した実績がありますが、教科書に自虐史観を書き込み、徹底的に日本人に教え込むでしょうね。その自虐史観とは「おまえたちは罪人の子孫で中国に対する大きな支払いが残っている。日本人は中国人民に懺悔し、中国人民に奉仕する人生を送らなければならない」というもの。

門田 もちろんその段階になれば、当然、皇統の唯一のルールで続いてきた「男系」も葬り去られ、〝女系天皇〟がすでに誕生していたりするでしょう。つまり日本という国が「消えていく」ということです。

属国化のプロセス

石平　日本が華夷秩序に組み込まれる「属国化のプロセス」についてシミュレーションしてみますか。日本の防衛にとって軍事同盟を結んでいるアメリカの存在は重要。そのアメリカとの日米安保条約が機能しなくなることが発端になると私は思います。

・アメリカが衰退する、あるいはアメリカ自身が困難に陥る。

・アメリカ軍が沖縄から撤退する。

・沖縄が中国の工作で独立する。「琉球共和国」として日本から切り離され、中国の小さな属国になってしまう。

・それまでに尖閣は取られている。

・台湾と沖縄の両方に米軍基地ではなく、人民解放軍の基地ができてしまう。

沖縄まで取られたら、日本の安全保障はもうおしまいです。「日本は侵略国家だから軍隊を持つべきではない」として、中国は軍事力を突きつけて日本の自衛隊の解散を求めるかもしれません。そうなると日本は形としては独立国家でも、先ほど述べたように日本国民全員が搾取されることになります。

門田　ほとんど石さんと同じ意見ですね。「アメリカが衰退する」「アメリカ自身が困難に陥ってしまう」という前提の部分を少し付け加えておきます。

いかに日米同盟があろうとも、アメリカの軍事力が中国を上回っていなければアメリカは日本を助けないでしょう。中国の力がアメリカを上回れば、アメリカは自国民の命を守るわけでもないのに米軍兵士の血を流すことはない。中国の力が上ならアメリカ自身が戦争に巻き込まれ敗北を喫する可能性があるからです。そんなリスクをわざわざ負いません。

またアメリカが中国を上回る軍事力を有していても、トランプ政権のように中国と戦う決意を持つ政権でなければ日本を助けることは難しい。バイデン政権では難しいわけです。

石平　すでに日本はアメリカ頼みというわけです。

門田　アメリカという抑止力がなければ中国はすぐにでも隙（すき）を突いてきます。先ほど、台湾について「電撃侵攻」というキーワードで話しましたが、中国が電撃侵攻で台湾を手中に収めた場合、日本は安全保障上〝丸裸〟になります。中国が台湾を取ったら次は尖閣。同時かもしれないし、尖閣が先かもしれない。在日米軍の動きを封じなければならないから、中国が台湾を攻めるときは与那国・宮古・石垣と一体で攻めてくる可能性があります。

中国は「尖閣はもともと台湾のもの」で「台湾は中国のもの」だという論理で来るでしょうね。そうして尖閣が中国に取られたとします。台湾と尖閣が中国のものになった場合に何が起こるか。石平さんも指摘された「沖縄の独立宣言」です。

沖縄には〝琉球〟に戻りたいという人たちが一定程度います。中国はちゃんとそういう勢力を養って蓄えていますよね。そういう琉球勢力に独立宣言をさせて、沖縄を手に入れるでしょう。

あるいは、沖縄に住む華人が「弾圧された」という現象や事件を創り上げて華人救出の名目で動いてくる可能性もある。いずれにしても日米安保条約が有名無実となります。

石平　こうなるともう日本には打つ手がありませんね。

門田　その頃は、日本国内に「中国には従っていきましょう」という勢力が恐ろしいほどに拡大しているでしょうから実質的に支配されています。

一部に最後まで抵抗する石平さんや私みたいなのがいて、そういう人たちは交通事故に遭ったりする（笑）。

石平　粛清されます。

日本が中国に物理的に占領されることは、正直言って想像したくない。しかし、もし占領されたらどうなるか。

門田　それはウイグルを見たらわかります。「民族浄化」です。子供が産めない体にされたり、中国人富裕層のために臓器移植のドナーにされたりするのは想像したくないですね。

石平　希望のない暗い話になりましたが、でも、やっぱり最後は、私は日本人を信じたい。日本という国の底力を信じたい。これをどう乗り越えるか智恵を絞らなければいけません。

すでに属国化は進んでいる

門田　先ほどの大和堆での中国漁船の違法操業にしても、今、日本は「勝手に獲るなよ」と言えない。中国に「やめろ」と言うには軍事力の背景が必要なのです。軍事力がなければ、あるいはそれを使えなければ、「何を言ってるんだ」と中国は開き直り、逆にグッと前に出てくる。日本はすでにありとあらゆる分野でそうなっています。

つまり属国化はすでに進行しているということです。

日本は戦後七五年間、「平和」「平和」を唱えていれば平和が保たれると思っていました。でもそれは間違いで、米ソ対立の冷戦下で「アメリカの核の傘の下」にいたから平和を保ってきただけのことです。当たり前ですが、背景に「力」がなければ、平和は保てないのです。

しかし、長かった米ソ対立の「冷戦」は終わり、米中の「新冷戦」の時代になりました。冷戦時代はヨーロッパが東西対峙の最前線でしたが、米中対峙の新冷戦の最前線はいうまでもなく、私たちがいる東アジアです。

では、ヨーロッパには、集団的自衛権で抑止力を行使するNATO（北大西洋条約機構）がありましたが、私たち東アジアには、NATOのような軍事的侵略を阻止する機構がありますか？　ありませんよね。日本では、集団的自衛権の保有を認める憲法改正さえままなりません。つまり、中国にいつ蹂躙されても仕方がない状態を続けています。

「軍事力の背景」、つまり「抑止力」を無視してきた民族がいかに惨めになるかということは歴史が証明しています。軍事力は「戦争するためのもの」ではなく「戦争を抑止するためのもの」であるにもかかわらず、それを日本は忌避する。なぜ軍事を忌避するのか。

そのことが白日の下に晒されたのは、二〇二〇年一〇月、菅義偉首相が新政権発足後に、すぐ問題提起した日本学術会議問題でしょう。学術会議会員候補の任命拒否問題で、逆に日本学術会議こそが「学問の自由」を侵害し、日本の「軍事研究」を禁止してきた〝内なる敵〟だと明らかにされたわけです。

二〇一七年三月二四日、日本学術会議が一九五〇年と一九六七年の声明を継承し「軍事目的のための科学研究を行わない」という声明を出しました。

石平　中国や北朝鮮の思うつぼ。

門田　学術会議が「軍事研究禁止」声明を出した一七年は、北朝鮮が弾道ミサイルを相次いで発射し、「どのようにして国民の生命と財産を守るか」が重要課題となっていたときです。ところが日本学術会議は、その研究の禁止を打ち出した。学問の自由を阻み、国民の命をどう守るかという最重要案件の課題解決も阻んだわけです。
　相手に攻撃させない、そして相手の放ったミサイルで国民の命を奪われないために
はありとあらゆる「技術を研究する」のが当たり前なのに、それすらさせなかったの
が日本学術会議です。さらに日本学術会議は二〇一五年に、中国科学技術協会との協
力覚書に署名しています。つまり軍事発展のために海外の専門家を呼び寄せる中国の
「千人計画」などに〝お墨付き〟を与えたのです。日本国内では軍事研究を禁じてお
きながら、中国の軍事研究には協力するという、完全に倒錯した組織です。

「抑止力否定」はどこから来るか

石平　中国の「千人計画」はすでに「万人計画」に膨らんでいますね。中国は「頭脳
狩り」を先進国で行って知的財産権を盗み取り国家戦略を達成させています。いわゆ
る「軍民融合」戦略（中国が推進する民間資源の軍事利用やその逆など軍と民の一体化戦略）
です。学術会議はその中国に「協力」している。
門田　学術会議が軍事研究禁止の〝一七年声明〟を出すに至るまでには「軍学共同反
対連絡会」という組織が活動し内部から激しく突き上げました。その様子は「赤旗」

に詳しく掲載されているので、日本が軍事を忌避する理由の一端が明らかになりました。

学術会議の件でBSフジ『プライムニュース』に出演したとき、早稲田大学の岡田正則大学院法務研究科教授とご一緒しました。日本学術会議会員候補で任命拒否された方ですが、岡田教授はこう述べました。

「相手が軍備を持ってるとこちらも武器を持たないといけないっていう、兵器のための技術を動員しようというのは時代遅れだと思う。目には目というか、相手がなんかやっているから武器をやるというわけではなく、中国でも北朝鮮でも、国際社会でヘンな武器を持たないようにしましょう、使わないようにしましょうというのが自衛ですよね」

びっくりしました。相手を攻撃する、相手を刺激する武器は持ってはならないというわけです。今どき、こんな机上の空論というか、夢のようなメルヘンの世界で、軍事力も持たず、防衛力も高めず、抑止力を無視する論理を目のあたりにしました。そんな国がどんな末路を辿るか、想像したら背筋が寒くなります。

石平　なぜ日本人が自国の防衛に反対するのかが心底わからないですね。

門田　七〇年代を席巻した「反日亡国論」というものがあります。ベトナム戦争の北爆（北ベトナムへの空爆）のために、米軍の爆撃機は沖縄の嘉手納基地から出ていった。沖縄返還は一九七二年ですから、当時、沖縄はアメリカの施政下にあったわけです。

　そのとき日本の過激派の学生、左翼学生たちは「沖縄からどんどん北爆の爆撃機が飛んでいく。アジアの人たちを苦しめるこんな戦争に加担する国は滅んでも仕方がない」という「反日亡国論」が生まれたんです。彼らは共産主義、社会主義は善、資本主義は悪という固定観念に囚われていました。そういう人たちの「反日亡国論」が罷り通っていたわけです。

　しかし、八九年にベルリンの壁が崩壊しましたね。それ以降は本来、「反日亡国論」は終わったはずなんですよ。ベルリンの壁崩壊とそれに続く東側諸国の雪崩現象で共産主義、社会主義の敗北が明確になり、決着がついたわけですからね。

　でもいまだに終わったはずの「反日亡国論」から抜け出せない人たちがいるのです。

　中国共産党は今や国家資本主義ともいうべきものです。共産主義でも社会主義でも何でもありません。にもかかわらず、それにシンパシーを感じ「反日亡国論」が抜けない人がものすごく多い。彼ら〝反日日本人〟は、共産主義は負けたのに、まだ「日の丸」に反対し「国家」に反対することで生き残っている。そういう人たちを朝日新聞が抱え込んでいるという構図です。

反日勢力と中国のアメ

石平　彼らが言っていることは中国共産党が大喜びすることばかりですね。

門田　そうです。〝反日日本人〟たちが、結果的に中国共産党の利益になることを言い続けているわけです。

まずは憲法改正反対です。そして「相手国に届く射程の武器を持ってはいけない」とか「この護衛艦は実質、空母じゃないか」「専守防衛に空母がなぜ必要なのか」、あるいは「イージス・システム搭載艦など不要」と騒ぐ。次々と中国が泣いて喜ぶようなことを言い、日本の防衛力が高まるようなことは阻害する。防衛力を高める軍事研究も日本学術会議がストップさせる。それをずっと〝反日日本人〟が行ってきています。

それを中国はアメを与えて支援しています。わかりやすい例で言えば毎日新聞は「チャイナ・ウォッチ」という中国政府の折り込み用の新聞を受け入れ、配布している。明確に「アメ」ですよね。そうして憲法改正すらできないような状況を作り上げてきたわけです。

つまり〝反日日本人〟と中国共産党の合作による「反日勢力」が長い間、日本の足を引っ張ってきたのです。

石平　日本憎しで中国は大好き。中国のために頑張る〝反日日本人〟。

門田　不思議でしょ。

石平　不思議。彼らのそれはイデオロギー的なものか、心情的なものかがわからない。

門田　これは中国人にも韓国人にも理解できないと思います。要するに中国人でも韓国人でも、たとえイデオロギーは違っていても祖国に対する愛着、郷土愛や愛国心のようなものは共通のものを持っています。

しかし、日本は違うんです。「あいちトリエンナーレ」で昭和天皇の肖像をバーナーで焼いて、足で踏みつける作品や、戦死した人々を侮蔑し、馬鹿にする作品を展示した連中がいましたね。そういう日本自体が嫌いな人がいるんですよ。いくら中国共産党が嫌いでも中国の人は「中国が好きだ」「中国を良くしなければいけない」と思うじゃないですか。でもそれを思わない人が日本にはいる。しかも、それなりの勢力として存在します。

石平　彼らの精神的なルーツはなんですか？

門田　やはり左翼の人たちの特徴とも言えますよね。コミュニスト（共産主義者）は、祖国・母国に対してではなく、共産主義に忠誠を誓った人たちですよね。国際的な共産主義運動を展開するために「コミンテルン」ができました。これは共産主義インターナショナルの略称ですから、いわば〝国家を乗り越えた人〟の集まりとも言えるわけです。中国共産党も日本共産党もコミンテルンの指導があってできたわけで、共通するのは〝国家を乗り越えた〟という点なんです。

中国共産党は日本共産党とどこが違うか。毛沢東はコミンテルンの指導は受けても、中国の実情に合わせて農民を重視した革命を行いましたね。あくまでも中国をどうしていくのかということなのです。

でも日本の共産主義者は違う。彼らは日本を良くしようとか、日本がどうこうではなく、共産主義そのものに向かっていくのです。そんな共産主義者たちは後輩を育て、その思想を継承し、日本への愛着を、むしろ「悪」としてきたわけです。

私は高知県という非常に日教組の強いところで教育を受けたから、入学式ほか式典でも「日の丸」があってはならなかったんですよ。国歌も歌わないのです。そういうところで育ちました。自分の子供が東京で入学式のときに初めて「日の丸」が上がり、君が代が流れるのを見て「ああ、やっとこういうのが許される時代が来たんだ」と感慨深かったものです。

石平　どこの国でも自国を嫌いだという人は一定程度はいるとは思うんですよ。でも問題は日本では、自国を憎む大きな勢力があり、しかも政治まで左右する。そのおかげで憲法改正一つできない。そこが問題。

中国共産党のボランティア

門田　実は数の上では、そこまで大きくはないのです。が、石平さんご指摘の通り一定の政治勢力になっているのです。彼らは熱心に運動をしますから、やはり目立つし、そのうえ影響力のある業界を牛耳っているという問題があります。一つはマスコミで、もう一つはアカデミズム、つまり大学教育の世界です。

石平　ああそうか、なるほど。

門田　この二つの分野では〝反日日本人〟が多数派なのです。

石平 この肝心の部分で多数だから日本人の手足が縛られることになるという。

門田 そのとおりです。マスコミとアカデミズムという肝心の部分で左派勢力が強く、〝反日日本人〟が多いのです。

日本全体として見ればその二つの業界に関わる人数は少ないかもしれませんが、なにせマスコミとアカデミズムですから〝拡声器〟ですよね。

石平 そうすると国民の多くも無意識のうちに彼らの影響を受けてしまうな。

門田 そうなんですよ。日本において「最も現実を見ていない」、そして「最も遅れている」のがマスコミとアカデミズムという二つの業界です。学術会議問題はもろにそれが表面に現れたとも言えます。

石平 例えば私が日本に来て驚いたのは、毎年八月一五日前後にマスコミが一斉に「戦争は悪」という報道を繰り返し再生産することですね。

門田 「戦争は悪」のその戦争とは「日本が他国を侵略する戦争」のことです。これをいまだに言い続けている。

石平 戦争は今「習近平の中国」がしようとしているんだよ。

門田 そうでしょ。それが国際社会の常識ですよね。日本が戦争できるはずがないし、そんなことをやって国際的な制裁を受けたら、日本なんてたちまち立ち往生ですよ。だから向こうが戦争を仕掛けてきたときに、どうやってわが命、わが子、わが孫を守るかということですよね。その抑止力をどうするか、ということに普通はなります。

しかし、日本は違う。悪いのは常に「日本」で、「日本には、侵略戦争をしたい奴らが今でも一杯いる」という妄想に取りつかれているんです。

今、中国の脅威がここまで大きくなって尖閣をきっかけに領土紛争が起きるかもしれないわけですよね。つまり、戦争が目の前に迫っていて、それを防衛しなければならないのに、防衛する側を「侵略戦争をしたい奴ら」と勝手に規定しているのですから滑稽ですよね。

敵基地攻撃能力の議論や、長射程の巡航ミサイル開発の話のときには、必ず「侵略戦争の歴史を忘れるな」あるいは「専守防衛に反する」と、反対勢力がしゃしゃり出て、批判してきます。彼らは中国にシンパシーを感じていたり、資金援助を受けているところもありますから、実際に「中国を有利にする」ように動くわけです。

今も相変わらずその論を展開し、「日本の軍国主義化を防がなければいけない」と中国と同じことを言う人たちは多いですよね。そして、彼らは「自分たちは、いいことをしている」「戦争を防いでいる」と自己陶酔しているのです。

実際には、抑止力を捨て去っているわけですから、正確に言えば「戦争を呼び込んでいる」人たちなんですけどね。完全なドリーマーですよ。信じられないですよね（笑）。

石平　恐らく中国共産党自身も信じられないのではないかと思いますよ。それほど「日本人はわれわれ中国共産党のために日々頑張っている」という。

まだ尖閣も取っていない。日本を占領もしていないのに、それほど中国共産党のために頑張るボランティアが日本にはいる（笑）。

門田　世界広しといえども、彼らが「日本にしか存在しない人種」であることは間違いないですね（笑）。

第三章　中国による人類運命共同体

「超限戦」は始まっている

石平　独裁政権は道徳倫理の面においては強さがあります。「悪い奴ほどよく眠れる」ということです。民主主義政権はどんな政策を行うにしても国内の批判があり、国際社会の批判がある。しかし独裁政権は完成すると、どんな悪いことでも彼らの論理の中ですべてがOK。それは、われわれの常識と良識、すべての想定を超えるものですよ。

独裁政権がコロナ禍でおそらく味をしめたであろうことがあります。それは民主主義国家を攻撃する、破滅させるのは実に簡単な話だということ。新型コロナウイルスが中国が意図的に放った生物兵器かどうかはわかりません。それはまた別の話ですが、少なくともこの一件を通して、彼らはコロナ一つでヨーロッパもアメリカもほぼ立ち上がれないほどの大きな打撃を与えられると味をしめた。中国独裁政権はこの手法で自由世界を攻撃できると覚えたわけです。中国自身の傷はむしろ少なくすみました。

中国の軍人が提唱した「超限戦」という概念がありますね。まさにあれが始まっている。

門田　「超限戦」は一九九九（平成一一）年に人民解放軍上級大佐である喬良氏と王湘

穂氏が提起した新しい戦争のモデルを指したもので、彼らの著書のタイトルにもなっているものですね。

石平　そうです。「超限戦」はわれわれが考える「戦争の常識」を超えたもので、あらゆる方法、あらゆる領域がすべて戦いになります。相手の中に入り込んで、中から操ることも戦争。イデオロギー的浸透もウイルスを放つことも戦争。ありとあらゆる方法で戦うというのが「超限戦」の概念です。

門田　喬良氏らは、それらを軍事的手段、超軍事的手段、非軍事的手段に大別していますね。例えば超軍事的手段としては、外交戦やインターネット戦、情報戦、心理戦から技術戦、威嚇戦などがあります。インターネット上での攻撃やフェイクニュースを流したりするのもその一つ。

非軍事的手段としては金融戦、貿易戦、資源戦、経済援助戦、法律戦、制裁戦、メディア戦、イデオロギー戦などですが、すでに仕掛けられているものばかりです。

中国がコロナ禍で行った欧州への医療支援は経済援助戦です。

そして、日本の尖閣諸島周辺に仕掛けられているのは海警法整備による法律戦。

全人代が二〇二〇年一一月に明らかにした海警法草案には、①国家の主権や管轄権が外国の組織、個人に侵害されたときは中国海警局が「武器の使用を含めたあらゆる必要な措置」を取れる、②中国の許可を受けずに外国の組織や個人が中国の島・岩礁などに建設した構造物について「強制的に取り壊すことができる」、③最高軍事機関である中央軍事委員会の命令に基づき「防衛作戦」を担う、などが明記されていますね。

文明は弱点になる

石平　そう。彼らはありとあらゆるものを使って攻めてくる。

しかし、われわれの文明世界には最低限の道徳や倫理、ルールがあります。われわれには越えてはいけないものが多いんです。民主主義国家はいくら頑張っても、相手の国を攻撃するためにウイルスを放つことはできないですよね。あるいはインチキな方法で他国の政治家をすべて買収して政権を乗っ取ってしまうことは考えないし、しないでしょう。民主主義国は文明社会なのです。しかし中国は違う。

中国からすれば、われわれが誇るそれらの文明は隙だらけ。つまり民主主義国の文明は弱点になります。いちばん悪い奴は、そこをなんの遠慮もなく攻撃できます。これこそが、間違いなく中国独裁政権が二〇二〇年を通して味をしめたことの一つですよ。

そして独裁政権がもう一つ味をしめたのは香港。どんなに批判があろうが、結果として彼らは香港を完全にコントロールし、支配する目的はもうほぼ達成しました。

二〇二〇年六月三〇日、中国の全人代（全国人民代表大会）常務委員会は香港国家安全維持法（国安法）を全会一致で可決・成立させました。それを香港政府は同日午後一一時に施行したわけです。

門田　一九九七年七月一日の香港返還から二三年となる七月一日に合わせてきましたね。香港に中国の治安維持のための出先機関である「国家安全維持公署」も置いたわけですから、返還後五〇年保障するとした「一国二制度」を破壊しました。

そしてこの香港国安法によって中国は香港民主派を恫喝したわけです。

石平　結局、香港の議会も反対勢力はほぼ完全に一掃されてしまいました。

門田　中国の全人代常務委員会が二〇二〇年一一月一一日に、香港政府による安全保障上脅威となる立法会（議会）議員の資格剥奪を認めました。香港政府はそれに従い即日、民主派議員四人の資格を取り消した。これを受けて香港の民主派議員一五人が集団辞職しました。つまり香港の議会に残っているのは親中派の議員だけです。

さらに香港の西九竜裁判所は一二月二日、香港民主派の周庭（アグネス・チョウ）氏、黄之鋒（ジョシュア・ウォン）氏らに実刑判決を言い渡しました。二〇一九年六月の香港警察本部包囲デモでの無許可集会扇動などの罪に問われた裁判で、周庭氏に禁錮一〇カ月、黄之鋒氏に禁錮一三カ月半、林朗彦（アイバン・ラム）氏に禁錮七カ月。立法会の民主派議員の資格停止に続く暴挙ですよ。

石平　暴挙です。彼らはただ自由を求めてデモをしただけ。

そして香港国安法の三八条にはこう書いてあるわけですよ。

「香港永住権を有しない者が香港以外の場所で本法律の定めた犯罪行為をした場合、本法律が適用される」

これは世界中の人々にこの法律を適用させるということです。われわれは中国の法律で裁かれることになっているのです。

門田　石平さんも私も裁かれるということ。

石平　これはもう「防空識別圏」問題と同様に暴挙なのですよ。しかし、世界の国々は文句を言わない。これも法律戦でしょう。

「紳士」と「ならず者」の戦い

門田　中国の暴走はもう止められません。アメリカの大統領選でのバイデン氏の当選が確実となってから、さらに増長し、これでもかと、怖いものなしで突き進んでいますね。

石平　例えば二〇一〇年に施行された中国の「国防動員法」がありますね。これを発動すると中国の企業も個人も否応なく、誰もが共産党の戦争に協力しなければならない。外国企業まで協力しなければならないわけです。

つまりあの政権は、例えばＩＣチップを開発するにはまったく無力だけど、悪いことをやるのは得意で強力。悪いことほどよくできるんです。

そのうえ中国は通常の軍事的手段、つまり軍事力も世界有数のものがある。

門田　前述のように国防予算は表向きの数字の倍以上、つまり、四〇兆円以上。それでも、まだアメリカの半分ですが、恐ろしいまでの額であることに間違いはありません。一九八九年度から二〇一五年度まではほぼ毎年二桁の伸び率でしたからね。

石平　多大なカネをかけて軍備を増強し、核兵器を持ち、そして国民を動員する。そんな中国に、われわれ民主主義陣営はどうやって勝つかということです。

つまり、習近平政権がいつまで続くかは別として、中国共産党的な独裁政権がわれわれの世界を破壊することができるように今なってしまっている。しかし、われわれは簡単に彼らをつぶすことができない。彼らは手段は選ばない。しかし、われわれは手段を選ばざるを得ない。彼らができることが、われわれにはできないのです。

つまり、民主主義と中国の全体主義との戦いは、そもそもが不均衡な戦いです。「紳士」と「ならず者」の戦いなのです。

例えば、良識を大事にする紳士一人とならず者一人がいたとします。その二人で、警察もない荒野で決闘をしたら、ならず者が絶対に勝つんですよ。そうでしょ。

門田 残念ながら、そのとおりです。

石平 今の世界はそうなる可能性が高いのです。唯一、われわれが期待したのはアメリカという国が民主主義の背骨、民主主義の基軸となってくれることです。バックにはアメリカがいる、とね。最終的にはアメリカがわれわれの民主主義、同盟諸国を守ってくれると期待しました。

しかし、アメリカ自体の民主主義が崩壊しているかもしれない。あくまでも最悪の場合ですが、アメリカの民主主義を担保する選挙制度そのものが崩壊している可能性だってある。民主主義が崩壊したら、アメリカという国もなくなります。アメリカ国民が連邦政府の下にまとまっているのは、州が違っても、民族が違っても、等しく一票の権利を持ち、その一票で大統領を選ぶからです。

アメリカが崩れたら、どうなるのか。中華帝国の世界支配です。彼らの力、彼らの価値観によって支配されることになります。習近平は今盛んに「人類運命共同体」と言っていますが、これは要は「中国に従う運命共同体」だということです。

門田　まさに二〇二〇年アメリカ大統領選は、その悪夢が現実になりましたね。

「人類運命共同体」へ突き進む

門田　習近平主席は二〇一七年一月一八日にジュネーブの国連欧州本部で「人類運命共同体」をテーマに演説しました。「保護貿易主義や孤立主義は誰の利益にもならない」「大国は中小国家を対等に扱うべきで、自国の意思を押し付ける覇権者となるべきではない」とアメリカのトランプ政権を睨んで強調し、中国がリーダーとしての役割を果たすとまで述べました。中小国家を世界で最も〝蹂躙〟している当事者がそう言ってのけるのですから言葉を失いました。

石平　二〇二〇年九月二一日にまた習近平主席は、国連の創設七五年を記念する高官級会合で、今度はビデオ演説を行ったのですよ。ビデオ演説は大したことは何も言っていませんが、後になって中国の国連大使が人民日報で談話を発表したのです。それはなんと習主席のビデオ演説は今後の国連に方向性を示したというもの。

国連ですよ。国連の方向性が習近平によって示されたと彼らは堂々と言っているのです。彼らが目指しているのはこれですよ。

門田　中国に従うか、従わないかの二つしかないということを提示していますね。

石平　最悪の場合はその二者択一になるということです。

彼らは段階的にやっています。今、香港を取った。では、あと四年間で台湾を取ってしまおう。じゃあ、次のステップは何かというと「人類運命共同体」です。香港も取って、台湾も取って、日本、アジア全体を取る。それをさらに広げる。

二〇二〇年の一年間の変化でそういう最悪の事態、悪夢のような将来がちらちらと見えてきたというのが私の危機感。「危機」で終わらないかもしれません。

門田　今の石平さんの話を聞いていて思うのは、なぜ、日本も世界もこれに気がつかないのかということなのですよ。

石平　うん、そう。

門田　中国共産党、そして習近平主席。彼らはこの野望を、昔は「韜光養晦（とうこうようかい）」で隠していたわけです。衣の下の鎧を隠していたのですが、それなら騙される人がいても仕方がありません。でも、今はもう、その衣も脱ぎ捨てているのですからね。

中国は「中華帝国の野望」を実は隠してない。これまでも述べたとおり、習近平主席は「中華民族の偉大なる復興」を掲げ、二〇四九年までに世界の覇権を奪取すると言ってるわけです。習近平主席は一七年に党大会で「二〇四九年までに中国を社会主義強国にする」と述べています。マイケル・ピルズベリー氏は、中国は「中国共産党革命一〇〇周年に当たる二〇四九年までに、世界の経済・軍事・政治のリーダーの地位をアメリカから奪取する」戦略を立てていると明らかにしました。

しかも中国はご丁寧に「百年の恥辱を晴らす」とはっきり言ってくれている。つまり、きちんと野望を明らかにしてくれているのです。

そしてその通りに進め、結果を見事に出しているわけです。

石平　尖閣諸島周辺や南シナ海の状況を見れば明らかですね。

なぜ中国の野望に気づかないのか

門田　にもかかわらず、この野望に気がつかないのは、もう「おかしい」というレベルですね。これだけ中国が復讐するぞと牙をむいているのに「いや、そんなことはない」として、いまだ「日中友好」に努力しているのが日本です。

「超限戦」では、例えば貿易戦、金融戦、メディア戦、密輸戦、麻薬戦、資源戦、サイバー戦、技術戦、もうありとあらゆる戦いになります。弾を撃つとかミサイルをぶっ放すとか、そんなものとは違う「超限戦」を中国共産党が挑んできている。その中に私たちはいる。その「超限戦」の思想からいけば、アメリカの大統領選では、中国が何もやっていないほうがおかしいわけです。

石平　逆にね。

門田　そう。何もやっていないはずがないから、それに対して民主主義はどうやって戦いを展開するかという一つの挑戦でもあったわけです。米大統領選での「超限戦」の実態は誰にもわかりませんが、結果はまんまとしてやられている。

アメリカも、日本も、他の民主主義・自由主義の国も、すでに政界も、マスコミも、学術界も、経済界も「超限戦」でやられている。だからこそ今、中国の野望について声を挙げる人が少なくなってきています。

石平　だからこそアメリカの大統領選の行方、プロセスは重要だった。

門田　そうです。アメリカの大統領選は「地球が救われるかどうか」の戦いだったのです。世界が待ち望んでいるのは大統領選の単なる勝ち負けではなく「不正があったのか、なかったのか」という真実です。不正があったのなら「どういう組織が、どういう外国勢力が介入したのか」。これらが曖昧なまま、アメリカもその他の民主主義国家も「前には進めない」ということなのですよ。

真相を解明することがすべてです。自由と民主主義を守るために、党派や思想を超え、団結して不正を暴かなければいけない。それを促すのがメディアの使命なのに、それもできていない。それどころか「早く敗北宣言をせよ」「トランプは潔くない、いい加減にしろ」というような民主主義への冒涜とも言える報道がアメリカで行われている。そしてそれを日本のメディアが伝える。

中国の指し示す方向性に向かっていくメディア、識者たち。「超限戦」に敗れ去り、完全に操られている人たちの姿を見るにつけ、本当にもう日本は中国の支配下に入り、そして今の内モンゴルのようになるかもしれないと感じてしまいます。

日本語も使えないという世界になってしまうかもしれません。しかし、そうなるかならないかの岐路に立っているという意識もない。それにもさんざん警鐘を鳴らしていますが、大マスコミや政界は気づかないか、気づかないフリをしていますね。私は子や孫の世代に対して本当に責任を感じます。

石平　不正選挙がこのまま何も追及されないとします。それはバイデン政権誕生以上に将来に禍根を残します。バイデン政権は四年間で終わるかもしれない。しかし、選挙制度の正当性そのものが破壊されてしまったら、先ほど述べたように民主主義の崩壊とアメリカの崩壊につながります。そしてこの二つの崩壊は全体主義と中国共産党政権の勝利になるのです。そうなると彼らはもう誰にも遠慮する必要はなくなります。

最悪のシナリオ、もしアメリカという重しがなくなったら中国は何をやるか。先ほど門田さんの話にも出ましたが復讐。「百年の恥辱」を晴らすのです。

では「百年の恥辱」を晴らしたらどうなるか。中華秩序の回復なのです。それは「中華民族の偉大なる復興」とも言い換えられますが、当然、彼らは台湾を取る。朝鮮半島は再び属国になる。日本も中国に対して平身低頭して中華秩序の中に入る。アジアが支配されます。そして最後が、まさに「人類運命共同体」。要するに「パックス・チューカーナ」ですよ。

門田　（笑）。またの名を中華帝国ですね。

コンプレックスと復讐

石平　中国の論理と中国の世界観で世界秩序を再構築し、中国を中心とした世界地図を作る。それが「人類運命共同体」です。すべての国が中国が決めた序列に従うのですよ。どの国が上か下かは、中国が勝手に決める。つまり中国のルールに世界が塗りつぶされるということです。

世界中が習近平の意向で動き、習近平の命令以外のことは許されない。

かつて中国の皇帝は、ある意味では鷹揚に構えていました。遠方の中国からすれば〝野蛮な民族〟に対して恩恵を与えることもあった。もちろん処罰も与えますよ。

門田　アメとムチを使っていたということですね。

石平　そう。今、中国人が盛んに使う言葉があります。「犯我中華者、雖遠必誅」（我が中華を犯す者は、遠きにありても必ずや誅せん）。これは『漢書・陳湯伝』に出てくる「明犯強漢者、雖遠必誅」という言葉を元にしているわけですが、今、中国のネット上で合言葉のように使われる流行語です。

門田　これが流行語になっているということは、すでに中国人は世界を支配しているつもりになっているということです。「中国人に逆らったら、おまえらは誅せられるぞ（攻め討たれるぞ）」ともうすでにそういう意識なんです。

石平　そうなっています。

門田　若者たちの傾向はどうですか。

石平　若者たちが喜んでこの言葉を使っていますね。今に読み替えているわけ。中国が世界の秩序を指導する。経済圏も中国を中心に組み立てられ、搾取するということ。

そして中国からすれば、西側（自由・民主主義諸国）は文句を言う立場にない。おまえたちが昔、同じことをやったじゃないか。われわれに対してそれ以上のことをやっただろ、という。

門田　それが彼らの論理の中心ですからね。われわれは同じことをやられたから、やり返しているんだという論理ですよね。

石平　そう、中心にある論理です。そこが非常に危険。アメリカの「パックス・アメリカーナ」と違うのは、アメリカは世界に対して恨みはほぼないでしょ。アメリカがつくる世界秩序を保ち、世界の警察としてありたい。「パックス・ロマーナ」とも違いますね。ローマ人にはコンプレックスがない。ローマ人は最初から周辺の民族を全部征服し、征服されたことがないですから。

でも中国はそうじゃありません。中国が考える「人類運命共同体」は〝中国の怨念〟が中心になっているのです。昔はわれわれがすごかったのに、近代になっていじめられて、落ちこぼれになり、屈辱を味わった。やり返さなければならない。根底は屈折した怨念。

ある意味ではヒトラーみたいなものです。ヒトラーは画家になりたかったけれども独創性が乏しくてなれず、抽象美術などを「退廃芸術」と呼んで弾圧しました。

毛沢東はどうか。彼は若いころ一年間、北京大学で図書館のスタッフを務めたことがあるのですよ。田舎から出てきた若者が北京大学の図書館でスタッフになっている姿を想像してみてください。中国の一流の知識人が集まる北京大学の図書館で毛沢東は彼らに奉仕するわけです。恐らく当時の知識人に「おい、おまえ、あの本を取れ」とアゴでこき使われたのではないですか。結局、毛沢東は権力を握ったら、知識人をやっつけました。

そんな怨念を中国全体が持っています。いじめられた者、少なくとも自分たちがいじめられたと本気で思っている者が、いじめる側の立場になれば……。

復讐の対象は日本

門田 それはやられたこと以上の激しいものになるでしょうね。しかもそのいじめの対象になるのは日本。

石平 日本です。なぜ日本なのか。一つは、中国からすればアヘン戦争以来、一九四五年までの間に、すべての欧米列強の中でいちばん中国をいじめたのは日本だということなのです。だから習近平政権の下で一気に制定した国家記念日は、全部日本との戦争にまつわるものなのです。これを私はずっといろんな場面で述べていますが、どうも理解されない。

いわゆる「南京大虐殺」の国家追悼日（一二月一三日）は習近平政権が制定しましたね。七月七日の盧溝橋事件の記念日も習近平政権。九月三日の抗日戦争勝利記念日も習近平政権が制定しています。しかし、アヘン戦争の記念日はいまだに制定されていない。

すべての恨みが全部、日本に向いているのです。なぜ中国の近代化が遅れたかについて、彼らは決して自分の責任とは考えない。中国でいちばん流通している説は、中華民国が近代国家になる寸前で日本軍が侵略したから、中国の近代化は挫折したというもの。日本のせいだということです。

もう一つは南京事件。いわゆる「南京大虐殺」はこの数十年間の教育の中で、中国国民の感情の底に深く刻まれています。当然「三〇万人の大虐殺」なんてあるはずがない。しかし、それが事実として中国では一般的に受け入れられています。

門田　そう思い込んでいますね。

石平　それは、多くの中国人にとって心の傷となっています。自分たちで勝手に創作して傷をつくったのですけれども。でもそれで日本に対する復讐心が増すことになる。

例えば韓国がこれから中華秩序に入って、もう一度、中国の属国になっても、それほどいじめられることはない。でも日本は徹底的にやられます。

尖閣どころではありません。日本の伝統、日本の文化、日本の社会体制、日本民族の誇り、日本の技術、日本のお金……。中国人からすれば日本からどんなものを取っても、当然の権利ですから全部取られます。日本人に対してはどんな復讐をしてもよい。このことを、日本人は真剣に考えないといけない。

門田　今、中国の利益のために一所懸命働いている政治家や官僚、そして朝日新聞を中心とするマスコミの人たちは、そこのところがまったくわかっていない。

石平　もう一つ付け加えると、中国人からすれば「日本人であること」が原罪。

門田　江沢民政権以降、そういう教育をしてきたわけですからね。今、四〇歳以下の人たちは、みんなその教育を受けてきています。日本人は自分の運命が今、決まるところだとわかった上で、論評しなさいよと言いたいですね。

バイデン氏は現代のチェンバレン

石平　よく「歴史にｉｆはない」と言いますが、もしヒトラーが生まれていなかったら、もしヒトラーがチェコスロバキアの領土を要求したときにドイツを叩きつぶしていたら、もしイギリスのチェンバレン首相によるあの宥和政策がなかったら世界はどうなっていたか。今、まさにこの「ｉｆ」に立たされていると思います。

門田　チェンバレン首相の宥和政策とは、一九三八年のミュンヘン会談（ドイツ・イギリス・フランス・イタリアの首脳会談）でナチスドイツの要求を受け入れ、当時のチェコスロバキアのズデーテン地方をドイツへ割譲することに合意したことを指しますね。このときヒトラーは「これが最後の領土的要求である」と大嘘を言った。また、このチェンバレンの宥和政策をイギリス国民は賞賛しました。

小国を犠牲にし、目先の平和のためにヒトラーと妥協した結果はご存じの通りです。バイデン氏が現代のチェンバレンになるかもしれないと考えると恐ろしいですよ。

石平　私から言わせてもらえば、もうすでになっていると思うよ。

二〇二〇年のアメリカ大統領選は世界史のわかれ道になるほど大きかったのです。「ｉｆ」で言えば、トランプ氏にもう四年間を与えたら自由世界も守られたし、アジア、台湾も守られた。さらに重要なことはあと四年間トランプ氏が大統領なら、習近平主席がつぶれた。トランプ氏が習近平主席をつぶさなくても、習近平主席は共産党の中からつぶされたのです。

門田　私はトランプ政権が続いていたら、二〇二二年に開かれる第二〇回党大会で習近平は終わると思っていました。その可能性のほうが強まっていましたね。

石平　その可能性は高かったですね。もしトランプ政権が続いたら、中国は究極の選択を迫られることになったはずです。習近平氏を切り捨てて共産党政権の延命を図るか、それとも習近平氏の道連れになるか。さすがに中国共産党もみんなが馬鹿なわけじゃないから、自分たちを守るために、恐らく長老たちも中に入って、党大会で大どんでん返しがあったかもしれない。習近平氏が粛清されるまではいかなくても、少なくとも引退の花道をつくるというような。

門田　二〇二〇年八月の初めに北戴河（ほくたいが）会議がありました。毎年、共産党の指導部、長老らが河北省の避暑地である北戴河で議論する会議です。このときは習近平主席がトランプ大統領の猛攻にたじたじとなっていましたから、「おまえ、なにやってるんだ」と吊し上げを食らうような状況だったのです。

長老たちはドル建ての資産、特に海外には想像もつかない巨額の資産を持っていますからね。このまま米中の争いがエスカレートしてドル決済が不能になれば、一挙に中国経済が瓦解し、そのうえ自分たちの海外資産が凍結されるおそれもありました。「いい加減にしろよ、俺たちの資産はどうなるんだ」という感じでかなりギリギリ詰められたわけですが、その後の数カ月で事態は逆転してしまいました。

習近平主席は〝親友〟が大統領になってくれたわけですからね。世界史は一気に暗転してしまいました。

第四章

中国の独裁は終わらない

隠蔽の責任から逃れられない

石平　門田さんの『疫病２０２０』は時間をかけて読み、感心しました。短期間で台湾、中国、日本、全部調べている。これほど包括的な新型コロナウイルスに関する本はおそらく世界広しといえどもこの一冊だけじゃないですか。二〇二〇（令和二）年六月に出版という早い段階でこれほど包括的かつ深く掘り下げたのは門田さんの本だけです。この一冊があれば十分。

門田　中国の隠蔽、日本の情けない内幕から台湾の驚くべき対応、米中衝突の行方まで書きましたから、石平さんにそう言ってもらえると嬉しいですね。

石平　二〇二〇年一月、二月の中国の動き、公開情報を綿密に分析して積み上げ、真相を炙り出す門田さんの手法には感心しました。

もちろん取材の裏付けがあるわけですが、私は公開情報を使用したというのが素晴らしいと思っています。なぜなら、公開情報からは中国共産党は逃れられないからです。公開情報は中国共産党が発信したもの、あるいは中国共産党が書かせている新聞記事ですから、自ら悪事をばらしていることになります。裁判をしたら一発で有罪が確定するようなものですよ（笑）。だから私は門田さんのこの仕事は、中国共産党の罪を暴くことにすごく大きな貢献をしたと思っています。

門田　自分たちでばらしていますからねえ。

石平　自分たちでばらした中国の罪の一つが「情報隠蔽」です。情報隠蔽のプロセス、メカニズムを門田さんは暴いています。『疫病２０２０』を中国語に翻訳して中国人に読んでもらいたいですよ。

今回の新型コロナウイルス禍には、中国に逃れられない責任があります。徹底的に情報を隠蔽して中国人民もだまし、世界の人もだましました。それにＷＨＯ（世界保健機関）も加担した。ＷＨＯの加担がなければ隠蔽工作は完璧には実行できなかったはずです。ＷＨＯの加担で世界中がだまされて、これほどの災害になり今でも収まっていない。

門田　問題は〝中国が何を隠蔽したか〟なのですよ。中国が武漢肺炎の発生そのものを隠蔽しようとしたんだ、と日本人だけでなく世界中が思い込んでいます。しかし、実は分析してみるとそうではなく、その「発生源」を隠したかったわけです。真の発生源である場所には目を向けてほしくない。そのために別の場所を設定してそれを報道させました。具体的には「武漢病毒研究所」が発生源であると思われますが、これを隠すために武漢の華南海鮮卸売市場に目を向けさせた。コロナウイルスの宿主であるキクガシラコウモリを売ってもいない海鮮卸売市場に目を向けさせたのです。

そしてもう一つは「ヒト・ヒト感染」を隠蔽しました。「ヒト・ヒト感染」は、すでに一二月に起こっていますがそれを隠蔽した。これらは『疫病２０２０』にきちんと書かせてもらいました。

『疫病２０２０』の刊行は二〇二〇年六月三〇日ですが、七月に入ってから、やっとアメリカでも中国の感染症関係に携わっていた人が「初めからヒトからヒトへの感染が起きていたが、当局が隠蔽した」と言い始めましたね。ああ、やっと出てきたかと思いました。中国の国家薬品監督管理局が出してきた五種類の治療薬についての情報はいまだに出てきませんが……。

石平　『疫病２０２０』では、中国の杜撰さも浮き彫りにしましたね。

門田　遺伝子研究の第一人者・中国農業大学の李寧教授が実験動物の処理のための費用をふところに入れ、さらにその動物を売り払って暴利を得て逮捕されたとか、「武漢晩報」には、キクガシラコウモリのおしっこを浴びて自主隔離した研究員のことが二〇一七年にすっぱ抜かれて記事になっていた話とか、いろいろ『疫病２０２０』には書き込みました。またＣＣＴＶ（中国中央電視台）には、女性が長い髪の毛をヒラヒラさせながらシャーレとピペットを使って実験しているようすが〝普通に〟報道されていました。そんな中国の研究所の実態が、以前から明らかになっていれば、世界の今の悲劇はないいんですよ。

警察とテレビ局は同じもの

石平　『疫病２０２０』にはもう一つ、「中国の独裁体制とは何か」という隠されたテーマがあります。私は日本人によく聞かれるんですよ。「中国共産党一党独裁と言うけれども、日本もずっと自民党独裁じゃないですか?」と。こういう質問をされると私はもうバカバカしくなって白けます。

全然、意味が違うんです。例えば、中国の隠蔽工作について西側の人々は、「政府が隠蔽工作を行えば、マスコミがそれを突き止めるんじゃないか」とか「一部の権力者が隠蔽しても一般の委員会が事実を発信するんじゃないか」と思っています。しかしそうではありません。

門田さんの本にあるように、「隠蔽工作」になると国家衛生健康委員会も地方政府もCCTVもみんな一斉にそれに取りかかるのです。「なぜそうなるのか」という簡単な事実を実は外国人は案外知りません。要は、CCTVにも共産党委員会があり、健康委員会にも共産党委員会があるということなのです。

中国は機関という機関、団体という団体に共産党委員会があります。例えば、最初に新型肺炎を告発した武漢市中心医院の李文亮医師の場合、彼をつかまえて反省文を書かせたのは公安局ですが、〝彼が反省した〟ことについてはCCTVが報道する。

門田 反省文を書いた当日に報道しています。

石平 ということはどういうことか。日本では警察と、例えばフジテレビは全く別々の組織ですが、中国では同じものだということです。

門田 武漢市の李文亮氏には〝後はサインをするだけ〟の訓戒書が用意されていて、サインをすると、はるか彼方にある北京のCCTVが即座に報道したのです。

石平 CCTVを握っているのは共産党。警察を握っているのも共産党。病院も実は共産党が握っています。

門田 病院内に「共産党規律検査委員会」がありますね。小さな病院にはないですが、李文亮医師がいたのは四〇〇〇人を超える職員がいる「三級甲等」という最高ランクの病院です。つまり武漢を代表する大規模病院ですから必ず規律検査委員会がある。

石平　規律検査委員会は共産党の組織ですね。そしてＣＣＴＶ、警察、病院に命令することのできる組織とは何かと言えば、共産党中央の政治局。では、政治局には誰が命令するのかと言えば習近平国家主席です。

この中国の体質が今回の隠蔽工作で世界中の人々にばれました。今まで知っているようで知らない、あるいは無関心だった人にばれたのです。

ではその中国の体質の何が問題かを簡単に言えば、こういうことです。習近平主席がある日突然、頭がおかしくなったとする。その狂った習近平主席が何かをすれば、世界中の人々が被害を受けることになるということ。例えば習近平主席が明日にでも毒をばらまいて人類を滅亡させたいという願望を持ったとすると、できます。あの体制なら見事にできる。ここが問題の焦点です。

「中国の独裁」が忍び寄る

石平　『疫病２０２０』はこのようなことを次々と暴いているわけですが、今後の世界に歴史的な意味があると思うのですよ。その意味とは何か。

鄧小平の改革開放以来、西側諸国は中国の独裁を見て見ぬふりをしてきましたね。その理由の一つは中国が近代化して経済成長すれば中国国民が豊かになる。豊かになって中産階級が大きくなれば自ずと中国は変わるという期待感。もう一つは西側諸国は口に出しては言いませんが、「中国の独裁は自分たちの問題ではない」という意識があった。中国共産党が国内でどんな弾圧をしようが、どんな独裁であろうが、言論の自由がなかろうが、それは中国人の問題であって、われわれ西側社会には関係ない話だということ。だから中国の内政に干渉しないという意識です。

「中国がたとえ独裁であっても、中国人が不自由になるだけの話であって、われわれには害がない」。西側の国際社会はそう思ってきたわけです。むしろ中国は独裁だからこそ、中国という国の安定が維持されて、われわれは中国とうまく商売を行える、とも思っていた。中国の一党独裁体制に対して無関心であるどころか、内心では安堵していたわけです。誰も口に出して言わないけれど、そういうところがあった。

しかし新型コロナウイルスが、西側にそういう考え方の過ちを再考させる歴史的契機になりました。独裁体制の中国があれだけ大きな国になったことで、中国人に有害なだけではなく、世界中の人々に大変な禍（わざわい）が及ぶということがわかったのです。世界が中国独裁体制に滅ぼされかねないということが白日の下に晒されました。
門田　そこを理解してくれないと、コロナで亡くなった人が浮かばれません。新型コロナが、私たちに今が「歴史の分岐点」であることを教えてくれたのです。
石平　そう思います。中国の独裁体制をどう見るか、あるいは中国の問題にどう対処していくかをもう一度、われわれ日本を含めた西側社会が考えることを私は期待しています。中国と商売がうまくいけばそれでいいのか、ということなのです。中国の独裁体制を容認してしまえば、今後また世界に災難が降りかかってくることが明らかなわけですから。
門田　そのことに西側は実は気がついてきてはいたんですよ。例えば「一帯一路」構想をすすめる中国に小さな国々の港湾が買われたりしていましたね。そうしてどんどん「中国の独裁」が自分のほうに近づいてきて、まずいなという意識はあった。今回はそれを直接的な形で「目撃した」わけです。彼らの独裁体制、隠蔽体質、人権弾圧体制は私たちの生存、国の行く末にとって最悪のものだということを初めて目の当たりにしたということです。

西側社会の過ち

石平　今まで日本をはじめ西側社会は、中国に対して過ちを犯してきました。中国を変えていくために、あるいは十数億人の経済体〝中国という市場〟を手に入れるために、中国を世界経済の枠組みに誘い出して組み込んだわけです。その最たるものがWTO（世界貿易機関）です。

門田　お墨付きを与えたのがアメリカです。アメリカのこの「関与政策」の失敗が世界に悲劇をもたらしている。今になってアメリカは中国と激突していますが、この問題にいちばん責任があるのはアメリカなのですよ。

中国は二〇〇一年にWTOに加盟しましたが、何度も言うように引き入れた張本人がアメリカです。中国を自由社会、自由経済、国際社会の中に組み入れれば、彼らは国際ルールを守ってきちんとした国家になっていくだろうという根拠のない予測、思い込み、幻想にアメリカは囚われていたのです。

しかし、自分たちの思い込みが決定的な間違いだったという反省の上に立った本が二〇一五年から相次いで出版されました。マイケル・ピルズベリー著『China 2049』（日本版は日経BP発行、原題は『The Hundred-Year Marathon』）やピーター・ナヴァロ著

『米中もし戦わば』（日本版は文藝春秋、二〇一六年発行、原題は『Crouching Tiger』）ですね。そしてアメリカは中国が膨張し続ければ、自分たちがやられてしまうのだということに「やっと気づいた」のです。

「遅いよ」と（笑）。私たちは、はるか前からこのことを言い続けているのに、アメリカは二〇一五年になってやっと先の本が出版されたのです。

ただし、中国共産党の体質、共産党の幹部たちの人間性や思想、行動と一般の中国人とはイコールではありません。一般の中国人には、当然のことですが、いい人もいれば悪い人もいます。そして彼らは弾圧されているわけで、中国共産党独裁政権の幹部たちとは全く違います。そこをきちんと分けてウォッチしていかないといけないのに、日本人も国際社会も、ずっとしなかったんですよ。

石平　西側は中国を普通の国と同じように世界経済のシステムに組み込み、投資したり貿易したりして結果的に中国を太らせました。軍事力も経済力も太らせたのです。それで中国は強大になりました。それによって何が生じてくるか。

例えば武漢発のコロナ禍が六〇年代、七〇年代の中国で起こっていたらどうだったか。あのころ中国は、国内の権力闘争に明け暮れ、紅衛兵が毎日のように誰かを吊し上げていました。それは国際社会に関係がない話です。それでアメリカが多くの死者を出すことはありません。

しかし、世界は鄧小平のいわゆる改革開放以来、中国を世界システムの中へ完全に取り込んだ。だからこそ、今回、武漢発のウイルスがあっという間に世界に広がったのです。

毛沢東時代だって中国国内で滅茶苦茶なことをしていましたが、あのころ、中国は国力もなければたいした軍事力もなかった。だから毛沢東が国内で好き放題しても、国際社会は無関心でいられたのです。しかしもうそういう状況ではなくなってしまったのです。

鄧小平の元祖「千人計画」

門田　それが問題の本質ですね。中国は大躍進政策で何千万人という人が餓死しました。あるいは文化大革命の一〇年間で権力闘争をして文化を破壊し、殺し合いでも千万単位の人間が死んでいる。でも、それは国内の話ですから、他国への影響はなかった。もちろん「人の命」の大問題ですが、国際社会に累が及ぶことはなかったということです。

中国が国際社会に登場したのは一九七一年です。七一年一〇月にアルバニア決議が採択されて中華民国が国連を去り、それに代わって中華人民共和国が世界の五大国の一つとして登場しました。いきなり中華民国の代わりに国連安全保障理事会の常任理事国になったわけですからね。そこに至るまでの中国の工作は「小国でも一票は一票」と、丹念にアフリカなどの国にアプローチをかける凄いもので、ついにアルバニア決議が採択されるに至ったわけです。

石平　アメリカは、一九七一年七月にヘンリー・キッシンジャー大統領補佐官が、七二年二月にはリチャード・ニクソン大統領が訪中します。

門田　日本は田中角栄首相が台湾（中華民国）を切り捨て、七二年九月に中国との共同声明に署名して国交正常化へ持っていきましたね。

その段階では中国は貧困で、どうすれば国が発展するか、共産党の幹部自身もわかっていなかったわけです。改革開放は七八年ですから、国交正常化から六年あります。その間に日本が乗り出していきました。例えば新日鉄の社長を務めた稲山嘉寛氏などが乗り込んでいって、世界でいちばん進んでいた新日鉄の技術を惜しげもなく伝えて「鉄は国家なり」として中国に大いに貢献しました。つまり、上海に宝山製鉄所をつくらせて質のいい鉄をどんどん生ませることに成功したのです。

そこから中国共産党の幹部は何を学んだか。「今から自助努力をして、欧米の水準に追いつき、（イノベーションなどを通じて）国力を上げていくのはとても無理だ」。共産党の幹部はこう悟ったのです。

それから中国は「カネも、技術も、人も来てもらいましょう。品質管理（TQC）の概念も、もちろん全部もらいます」というわけです。いわば〝全部お任せ方式〟。言いかえれば「そっくり盗む」という方式です。先進資本主義国が多大な努力と競争で生み出し、勝ち取ったものをそのまま中国に「移転させる」という形です。

石平　そうして七八年から改革開放路線が始まった。

門田　一九七八（昭和五三）年一〇月には鄧小平が来日します。東京にも来ました。ちょうど私が上京した年だったからよく覚えています。彼は頭がいいから日本各地で、例えば新日鉄やら松下電器やらトヨタやら、日本の代表的企業の工場を実際に見学して、「ああ、これは自助努力では無理」と再認識したわけです。

石平　ちなみに彼、頭いいでしょ。四川省の人はみんな頭がいいの。これはちゃんと書いておきたい（笑）。

門田　四川省は石平さんを生んでいますからね、たしかに。ところで、余談ですが、国共内戦の〝関ヶ原〟は「淮海戦役（わいかい）」です。ここで中華民国軍と戦ったのが共産党人民解放軍の四川省出身である劉伯承将軍と政治委員の鄧小平ですからね。この二人で第二野戦軍を率いて〝関ヶ原〟に勝ったわけです。淮海戦役は一九四八（昭和二三）年の一一月から翌年一月まで。中国共産党にとって「四川省」はキーワードですよ。

石平　そう。共産党が政権を取った戦いで、それをやったのが二人の四川人。

門田　鄧小平が何回、失脚しても、なぜ起き上がりこぼしのように復活してきたかと言えば、この淮海戦役の立役者だからです。淮海戦役の勝利者というのは栄光の軍人であり、共産党員ですからね。どこへ彼が追いやられようとも助けてくれる人がいっぱいいたわけです。

話を戻すと、鄧小平は日本に来て「自助努力では無理」と再認識し、そこからさらに拍車がかかります。今、中国の「千人計画」が問題になっていますが、この基本は鄧小平です。ノウハウ、技術、おカネ、人材……すべてを他の国から持ってきてもらう改革開放路線。鄧小平はニコニコしながら「将来、見ておれよ、必ず何十年後かにおまえたちを見返してやる。この野郎……」と思っていたわけです。

天安門事件と中国幻想

門田　問題は「どの時点で中国の本性に西側が気づけばよかったか」です。私は一九八九年には気づく必要があったと思います。八九年の六・四「天安門事件」で胡耀邦・趙紫陽体制が崩壊して事件が起こり、中国が本性を現したわけですからね。

あの残忍な本性は、いくら経済発展しても変わらないと悟らなければならなかった。しかし、日本の指導者もアメリカも欧州も「中国市場が大きくなったときには真っ先に儲けさせてもらわなければ……」と、中国の人権問題をほったらかしにして経済的利益のためにヒタ走ったのです。

これに対して、中国は感謝するどころか、九二年二月二五日には「領海法（中華人民共和国領海および接続水域法）」まで作って彼らの領土領海の中に尖閣諸島を入れ、「これは中国のものだ」と大いに主張を始めたわけです。それなのに、日本はその八カ月後の一〇月二三日には天皇陛下の訪中をしてしまいました。

「天皇訪中」によって、天安門事件で非難を浴びていた中国を国際社会に復帰させたのが日本です。当時、私は『週刊新潮』のデスクでしたので、宏池会の宮沢喜一政権で河野洋平氏や加藤紘一氏といった親中派の官房長官がいかに暗躍したかを知っています。田中角栄の日中国交正常化のときの外務省の中国課長、橋本恕（ひろし）氏がこのときは中国大使。気脈を通じた共産党幹部たちと組んで、天皇訪中を実現させたのです。八九年の天安門事件で〝中国幻想〟は間違いだったと「答えが出た」のに、それでも中国共産党の側に立って、その利益のために動いた日本人と国際社会の罪ははかり知れませんよ。

石平　今、門田さんは八九年以降、中国はもう本性を隠さなくなったと指摘されましたが、実はそこが非常に大きなポイントです。もう隠す必要がないと彼らはわかったのですよ。

天安門事件の結果として、中国共産党内の「改革派」である趙紫陽一派が葬り去られました。ここで重要なのは、胡耀邦や趙紫陽という「改革派」もしょせんは共産党の幹部であって、共産党の統治を維持する目的は鄧小平と変わりないということです。彼ら「改革派」に「中国共産党を改革する」という意識はまったくありません。

しかし「改革派」は中国の現状を認識していた。中国は徹底的に立ち後れていて、発展させるには西側と友好関係を結ぶ以外にないという認識です。西側と交流し投資を呼び込むためには、ある程度、西側の価値観も受け入れるべきで、中国共産党独裁政権のやり方を多少、柔軟に変える必要があるということです。しかし鄧小平たちはそれを許さず、結果的に天安門事件で「改革派」は葬り去られ、江沢民が抜擢された。

そうして江沢民政権が始まります。皮肉なことに、ポスト天安門事件では趙紫陽より鄧小平の考え方が正しいと証明されました。要するに「西側に迎合しなければ商売してもらえず中国が困ることになる」というのが趙紫陽たちの基本的な考え方だったわけです。でも「心配はご無用」だった。鄧小平が正しかったと証明したのは日本、そしてアメリカです。天安門であれほど酷い弾圧をしたのに、西側は相変わらず寄ってくるわけですからね。見事に「鄧小平理論」の正しさを証明してくれたのです。

特に日本は率先して制裁を解除し、「天皇訪中」を実現させ、中国を国際社会に復帰させた。アメリカも共犯ですけれども。

門田　アメリカも「共犯」というより「主犯」に近いですね。ブッシュとサッチャー、米英のトップ二人が中国共産党の本質をわかっていなかったということが様々な文書から明らかになっています。

独裁に自信を持った理由

石平　アメリカは日本の動きを喜んでいたのですよ。日本が率先して中国と関係を修復すればアメリカもやりやすくなります。

結果として、天安門事件以降の中国共産党は完全に自信をつけました。だから天安門事件以降、「社会主義市場経済」という概念を持ち出した。彼らが自信をつけた証拠です。「社会主義」とは一党独裁のことです。つまり、一党独裁を堅持しながら経済を発展させることができると考えたわけです。西側はどうせおカネを持ってくるのだから、一党独裁と経済成長には何の矛盾もない。逆に経済の成長が一党独裁を補強する、と。

ということで一九九〇年代は中国共産党にとって万々歳になりました。国内では弾圧をやりたい放題。少数民族に対しても弾圧し放題。西側はそれにほとんど口出しをしないか、多少口にしても実際には何の行動も起こさない。何も言わずに中国と商売をする。

つまり、中国は国内で独裁をやりながら、西側から自分たちの欲しいものを何でも取ってくることができたのです。いや、取らなくても勝手に西側が持ってくる始末。

そういう中国にとって、共産党の独裁は〝ハッピー〟以外の何ものでもないですよ。国内では独裁だから、もちろん誰からも妨害されない。あらゆる反対意見を封殺できる。

この路線の極めつきが今の習近平政権です。「われわれの制度的優越性」「われわれの文化の優越性」を赤裸々に語り、「われわれはすべて西側より優れている」としています。

西側を〝上から目線〟で見下ろして、その一方で欲しいものは何でも盗む。技術もおカネも取る。とうとう情報を隠蔽してウイルスをばらまき、それで苦しむ西側を、高みの見物する余裕すら出てきています。

門田　「習近平の中国」にとっていちばんのターゲットであったトランプ政権は、実際にコロナによって大きなダメージを受け、盤石だった選挙戦に敗れてしまった。もちろん、不正による得票の操作を含めての意味ですが……。
アメリカの新型コロナウイルスによる死者数は、二〇二〇年末、ついに第二次世界大戦の戦死者数を上まわりました。

中国の新型コロナウイルスがついに最大ターゲットを叩きつぶしてしまったわけですから、歴史の岐路として何百年経とうと世界史に残る大事件として刻印されます。

「独裁万歳」へ

石平　『疫病２０２０』の最後のほうに、中国人ビジネスマンの証言がありますね。

門田　次のくだりですね。

「日本に対してはそうでもないんですが、欧米に対する失望が中国国内に大きく広がりました。特にアメリカです。これは、共産党だけがそうなったということではなくて、中国の一般の国民にも広がりました。完全な失望です」（『疫病２０２０』三三五頁）

この証言をはじめ、『疫病２０２０』では、中国人がアメリカを馬鹿にし、反発している本音を書きました。読者からの反響は非常に大きなものがありましたね。

石平　それこそが今の中国の真実です。中国が世界中にばらまいた新型コロナウイルスによる災難によって、今、中国共産党政権がいちばんの得をしているのです。

今まで中国人のエリート、知識人は西側への憧れがあったんですよ。実際に共産党の幹部たちもみんな子供らを西側に送り込むでしょ。それは中国の政治体制にいろんな不平・不満があったからです。

しかし今回の新型コロナウイルス禍で、皮肉にも今までの「鄧小平理論」がさらに補強され「われわれの一党独裁はどの国よりもすばらしい」となったわけです。中国の歴史から見れば皮肉というほかありません。文化大革命が終わって「毛沢東独裁」の反省から中国の改革が始まり、天安門事件を経て最後にたどり着いたのが「独裁万歳」ですよ。

門田さんの本で詳しく書いているように、独裁があったからこそ中国はウイルスを抑えることに成功した。それは確かです。

門田　独裁政権でなければ、あれほどの凄まじい「私権の制限」はできませんからね。

石平　命令一つで誰も家から出られない。物理的に扉を釘で打ち付けて閉じ込めたりもした。人権も自由も全て奪った上で抑え込む。それがウイルス禍において「独裁はすばらしい」という証明になってしまったのです。しかも西側はウイルスの前に全く防備が脆弱で、どうにもならないという状況でした。

さらに独裁下のCCTVは当然、武漢の惨状を一切報道しませんが、ニューヨークの惨状は毎日、喜んでメディアが流すわけです。

門田　『疫病２０２０』で中国人の話を聞いて「へえ、そうか」と思いましたね。今までアメリカを信奉していて娘も留学させたような本当の親米の中国人たちが「命を落とさなくちゃいけないような悲惨な状態になるんだったら、そんな自由はこちらから願い下げだ。結局、俺たちの制度のほうが正しかったんだよ」というわけです。

その中国人が「門田さん、中国で今、何が起こっているか知っているか」と教えてくれたのが中国で放映されているテレビ番組の変化ですよ。ほんの少し前までは抗日戦のドラマや映画で日本をボロクソに叩いていた中国が最近そんなものはまったく放映しなくなったそうです。

代わりにやっているのが、朝鮮戦争にまつわるドラマや映画だそうです。なぜかというと、アメリカを悪者にし、さらに〝恐るるに足りず〟という意識を植えつけるためです。朝鮮戦争当時、「あの弱い頃の中国でもアメリカに負けておらず、引き分けている。今は、中国も中国人もあの頃とは比較にならないくらい強くなっている。今ならアメリカに勝てるんだ」ということを刷り込んでいるというのです。大丈夫だと一所懸命、中国国民を鼓舞しているわけです。アメリカへの反発と失望がものすごく大きくなっているのはたしかに感じますね。

「命を落とすような自由など、欲しくない」——それが今の中国人の本音だそうです。

独裁体制は強靱

石平　ここがわれわれ国際社会にとって非常に重要な話です。

というのは、まず今後しばらく「中国の独裁」の終焉にはあまり期待ができないとこれでわかったわけです。独裁体制は案外、強靱さがある。習近平体制がどうなるかはまた別の話で、共産党独裁体制は強靱さがあることがわかりました。

西側が今まで期待したのは、中国が経済成長すれば西側の価値観を受け入れて中国も変わるだろうということです。でも、まず独裁政権は変わらない。まさに今回の新型コロナウイルスの一件で、今まで内心では西側の価値観に憧れ、民主主義に憧れていた中国の人々も変化した。門田さんが指摘されたように、そんなものよりも安定した生活や命が大事だと、基本的な考え方の枠組みが変わったわけです。

われわれがこれまで期待してきたのは、中国がいかに独裁政権であっても、中国国民はいずれこの独裁を捨てるということでした。しかし、それはあまり期待できない。そうなると中国共産党政権の長期化を覚悟しなければならないということです。先に述べたように、この独裁政権が延命されると、今後、世界中にどんな災難をもたらすかはわからない。明日にもコロナ禍を上回る悲劇が起こる可能性だってある。

今後、日本を含めた国際社会が、一〇年、二〇年、三〇年と対峙していくのはそんな独裁政権なのです。われわれは、一四億人をまとめあげ、莫大な国力と軍事力を持ち、しかもいつわれわれに害をなすのかわからない独裁政権と対峙しなければならない。これが今後の世界にとっての問題です。

しかも後述しますが、この独裁政権は単に共産党のイデオロギーだけが問題なのではありません。北朝鮮が自国内で何かを行うのとは次元が違います。「世界を中国が支配する」という野望を持った中華思想の伝統と共産党の独裁が合体した怪物。それがわれわれが今後、対峙していく中国です。

第五章　「習近平の中国」という怪物

華夷秩序と生存空間

門田　石平さんが今の中国を中華思想の伝統と共産党の独裁が合体した怪物と定義してくれました。これが理解できないと中国の真の恐ろしさはわかりません。

いわゆる華夷秩序。世界の中心に中国の王朝があるという中華思想に基づいて、周辺の未開の蛮族は自分たちに朝貢をして秩序を保つ、その秩序こそ善だという華夷秩序です。この華夷秩序とその生存空間が今後のキーワードです。

華夷秩序の考えでいけば、水、土地、空気など自分たちの生存空間の確保は、中国にとって「善」となります。中国が尖閣も南シナ海のスプラトリー諸島もパラセル諸島も領有権を主張しているのは、それが「当然」だと考えているからです。しかし、日本では、いまだに「中国はそんなことをする国ではありません」と信じ切っているドリーマーが多い。愚かとしかいいようがありません。

自民党の石破茂氏のように習近平国賓来日に「礼儀は礼儀として」みたいなことを言っている人もいる。もう、「アホか」と（笑）。

石平　いいカモですわな。

門田　政治家、官界もそうですが、財界人に至ってはもう目も当てられない。例えば中西宏明日本経団連会長は日立製作所の会長ですが、日立もまた中国にのめり込んでいる。ＩｏＴ（Internet of Things＝モノのインターネット）というシステムでインターネットに全てつなげ、互いに情報交換して制御する仕組みを普及させたいわけです。つまり会社の中、家庭の中にまで全部、情報を張り巡らせて、世界中を情報統制してビッグデータを使っていろいろなことをやろうという「尖兵」ですよね。それを日立は中国の大手ＩＴ企業、テンセント社と提携して行っているわけです。

さすがにアメリカはここへきて、遅ればせながら中華思想の危険性にやっと気がつき、ＮＡＴＯ（北大西洋条約機構）創設七〇年という節目の首脳会議で、トランプ大統領は中国の脅威と向き合うよう述べました。欧州が中国の軍門に降り、次世代通信規格「５Ｇ」で中国のファーウェイ製品を採用するのなら「協力できない」という圧力です。５Ｇで通信の覇権を握られると、アメリカが長い間に築いた自由主義社会のネットワークを根底から断ち切られるわけですから当然です。

今、ここをバイデン政権がどうするのか、世界の大関心事です。というのも、米議会は上院も下院も、また共和党も民主党も、いずれも「反中」です。中国を利するやり方は、さすがに大きな反発が生まれるので、バイデン大統領もやりにくい。どういうやり方をとるのか大いに注目です。

ドイツの中国傾斜は日本と似ています。政界、官界、経済界もマスコミも、中国をタブー視している。中国に対する批判ができない。そのような中でウイルス禍が起こった。

ただしドイツには変化がありました。メルケル首相はコロナのことがあっても習近平主席と親密でしたが、さすがにドイツマスコミの中から香港国家安全維持法（国安法）についてタブーを打ち破る言論が出てきたわけです。日本で言えば、朝日新聞ばかりの言論空間に産経新聞が出てきたようなイメージです。そういう言論が、ドイツ国民の注目を浴び始めました。「人権弾圧の中国との関係をこのままの形で維持していいのか」という根本的な疑問が出てきただけでなく、急速に国民の間にも広がりつつあります。国安法は自由主義陣営を動かしましたね。中国を恐れ、人権問題に腰が引けているのは日本だけですよ。その点では、日本は自由社会で取り残されつつあります。

戦略なき習近平の国安法

石平　香港の国家安全維持法はどこからきたかと言えば、二〇一五（平成二七）年の銅鑼湾書店の店主の拉致ですよ。あの書店では習近平氏の愛人の下ネタスキャンダル本を売っていましたが、習近平主席たちはそれをつぶすために店主を拉致するというとんでもない手段に出た。

これは習近平主席の指導者としてのレベルの低さが見事に出ました。もし、これが毛沢東だったら彼は笑って対応しますよ。自分のスキャンダル本を出す書店があれば、毛沢東ならこう対応する。

「おまえたちの調べは足りない。俺が手をつけた女性は一〇人どころじゃない、三〇人だぞ。材料が足りないなら俺が教えてやる（笑）」

江沢民ならどうか。無視ですよ。「勝手に出せばいい」とする。

習近平は毛沢東のような鷹揚さ、スケールの大きさもなければ、胡錦濤たちのような慎重さもない。基本的にチンピラです。「俺のスキャンダルを出すのか！」という憤りに任せて拉致してしまうわけです。

拉致したことが明るみに出ると香港からも国際社会からも批判を浴びます。そうなると拉致という手段をいつでも使うわけにはいかない。どうすればいいか。結局、二〇一九年の香港の「逃亡犯条例」です。逃亡犯条例が成立すれば、中国共産党が香港に行って人を拉致する必要はなくなります。目を付けた人を合法的に中国に引き渡させる。逃亡犯条例はまさに、それがやりたかったのです。

しかし香港の人々の猛反対で、共産党は屈辱的な敗北を喫しましたね。逃亡犯条例を撤回したわけです。習近平主席からすると屈辱ですよ。そうすると「いっそ香港の反対勢力を一網打尽にしてしまえ」となる。国安法さえ成立すれば拉致する必要もない。中国の警察が直接、香港に行けばいい。逃亡犯条例ももう要らない。やりたい放題ですからね。

つまり考えてみれば、習近平主席に戦略性があったわけではない。いろんな間違いを反省せず、それを取り繕い、だんだん大きくなって、最後は国安法。おそらく国際社会からどういう反発・反応があるか全然、読み切れてない。

門田 香港は中国にとって国際金融の玄関であり、出口でもあるわけですね。そこをつぶしてしまうというあり得ないことを習近平主席はやった。

これに対して李克強首相ら〝団派〟（中国共産主義青年団派）の官僚たちは心の中では呆れ、反発していますが、あまりにも権力の大きさが違いすぎて、何もできません。

中国経済の崩壊、特に失業者を増やさないように懸命ですが、残念ながら習近平氏自身が経済音痴なので李克強首相らは頭を抱えている。さまざまなことも提言していますが、功を奏さない。

石平さんは李克強提唱の「露店経済」についてどう思いますか。

石平 そうですね。全人代閉幕後の二〇二〇年五月末、李克強首相が記者会見で中国の雇用問題に言及し、某西部都市を実例に上げて「この都市で三・六万軒の露店を設置した結果、一夜にして一〇万人の雇用を作り出した」と語ったのです。続けて六月一日には山東省煙台市を視察した際に李首相は露店の店主に声をかけ「露店経済は雇用機会を生み出し、国家の活力の源である」と「露店経済」という言葉を使って絶賛しました。それから中国では「露店経済」礼賛のキャンペーンを展開し始めたわけですよ。

コロナでの失業率の増加への応急措置ですが根本的な解決策にはならない。しかし「露店経済」にすがるほど、中国の失業率増加は深刻だということです。

しかし、その「露店経済」キャンペーンは一週間で終わります。六月七日に北京市共産党機関紙の北京日報が社説で「露店経済は北京にふさわしくない」と拒否。続いて、CCTVも連日のように「露店経済」の問題点をさらい出し、「一流の都市では露店経済を進めるべきではない」と断言したわけですね。

北京日報の上に君臨するのは、習近平主席子飼いの幹部である蔡奇・北京市党委書記ですから「習近平の意向」ですね。習近平主席の単なる面子で失業対策は潰されたということ。

門田　習近平主席は「露店経済」もつぶしにかかってきました。李克強ら団派にしてみると、自分たちの対策の意味もわからず「気に入らない」とつぶしてくるわけですから、どうしようもない。軍と警察を握っている習近平主席には抗（あらが）えないですからね。

習近平の本能と生存空間

石平　中国共産党の独裁政治の方向性は習近平国家主席の本能のままに行く。力で独裁政権を守ることさえできれば、中国ではどんな問題も問題でなくなります。

習近平氏の原体験は毛沢東時代です。毛沢東時代の中国はご存じのように経済が滅茶苦茶で最貧困国家の一つで、国民は食うや食わずの生活をしていました。しかしあのころ中国では、共産党の統治は何の揺るぎもなかったのです。例えば文化大革命は、共産党政府が盤石だからこそ紅衛兵を動員して滅茶苦茶なことができたわけです。あそこまで政権のトップがわざと混乱をつくり出しても政権自体は揺るがない。

門田　劉少奇、鄧小平たちとの闘争が毛沢東にあっても、共産党自身は揺るがなかったですからね。

石平　あのころ私は中国にいましたが、国民はどんなに不平不満があっても、せいぜい四人組（文化大革命を主導した江青、張春橋、姚文元、王洪文）に対して文句を言うだけ。共産党に対して不平不満を言うこと自体を想像できる人はいなかった。習近平主席らはその時代に成長しているわけですよ。

　習近平主席らが本能のままに先祖返りすれば「香港をつぶせばいい」となります。それで中国は香港経由でおカネを調達できなくなる、外国資本も入ってこなくなる、対外輸出も影響を受ける。でも「昔も入ってこなかったじゃないか」という論理。中国経済が駄目になってもいい。「昔はもっと悪かった」と。

門田　あのころと比べれば「まだマシだ」と。

石平　マシよ、と。例えば国際社会が中国から離れていく、香港国安法で反発を招いて孤立化することを中国は認識しています。最近、習近平主席の経済ブレーンである劉鶴副首相が米中貿易協議の場に名代としてよく出てきますが、彼がどういう論調かというと「わが国はすでに国内循環を中心とした新しい経済構造ができあがっている」というものです。

門田　なるほど、できあがっていると。

石平　つまり、もう「おまえたちは要らない」ということなのです。中国経済は外国資本が入ってこなくても、外国と商売をしなくても、中国内で循環させれば大丈夫ということ。政権さえ守れればいい。経済成長と政権とのどちらが大事かと言えば政権だということです。逆に言えば習近平主席たちの発想は、政権さえ守ることができれば他のことはどうでもいいということ。香港が死のうが、対米貿易がなくなろうが、イギリスがファーウェイの5Gを採用しなくなろうが、政権は一四億人を人質にしているわけです。

逆にこの発想がうまくいかなくなるのはどういうときか。

先ほど中国の生存空間の話が出ましたが、生存空間は土地、水、森が基本となります。いま中国では水が汚染されて水不足であり、土地は砂漠化している。疫病が発生し、大洪水も起こる。大量のバッタの発生による被害も甚大です。
中国の歴史をひも解けば、これらが揃ったらだいたい王朝崩壊。ただし昔は中国が
それこそ完全に内循環していたわけですね。
歴代王朝では経済的には外部世界はほとんど関係ありません。日本の江戸時代のよ
うに中で完結するわけです。しかし例えば干ばつで食えなくなる、つまり中で完結で
きなくなると、流民たちが一揆を起こして王朝が崩壊する。そういう中国の歴史があ
ります。
今、中国では疫病も干ばつも水害も発生し、生存空間が滅茶苦茶になっています。
歴史に学べば王朝崩壊。今なら政権崩壊ですが、どうやってそれを避けるかというと、
外に出る。習近平政権では今後、それがいちばん危険なのです。

門田　軍事冒険主義ということですね。

石平　そうして生存空間の拡大を目指す。水が足りなければ外から取り、食糧が足り
なければ外から取る。

門田　まさにそうするための布石をどんどん打っています。

石平　生存空間の拡大を目指す。その背後には華夷秩序からの伝統的な考え方があり

ます。それが「百年の恥辱」。国民をまとめるには最適なのです。

戦争と経済統制

門田 国内循環の話で言うと、周力・中国共産党中央委員会対外連絡部元副部長が六つの準備をやれと人民日報系の環球時報に論文を書きましたね。

石平 「外部環境の悪化に備えて六つの準備を整えよう」という論文です。共産党中央委員会対外連絡部は、外国の政党・政治組織と交渉する組織で、党の外交政策・意思決定に助言する役割も担っています。副部長を務めた周氏は国際情勢・外交に精通する大物で、彼が「外部環境の悪化」に言及したことは大きな意味があります。

門田 実は国内循環はできていないし、できないということを証明していますね。

石平 そう。周氏が指摘した六つの準備とは次のようなものです。

①米中関係の劇的悪化、米中間闘争の全面的レベルアップに備えよう
②外部需要の萎縮、サプライチェーンの断裂に備えよう
③新型コロナウイルス感染拡大の常態化に備えよう
④人民元とアメリカ・ドルとの切り離しに備えよう

⑤グローバルな食糧危機の爆発に備えよう
⑥国際的テロ組織の巻き返しに備えよう

門田　これはまさに中国が世界トップの「食糧輸入大国」であることをはじめ、さまざまなリスクを抱える脆弱な国であることを表しています。中国は世界一の「石油輸入大国」でもあります。一皮むけば、経済基盤が本当に弱いことを周力氏は懸念しているのです。

劉鶴副首相のほうは国内循環ができている、大丈夫だと安心させる側のことを言ったわけですが、そんなことがあるはずがない。中国経済が崩壊し始めると、失業者が溢れる。さすがに社会が不安定になってきます。国内循環と言ったって、実現は、なかなか難しいんですよ。

石平　習近平主席の思考回路で行き着くところは、結局は戦争と経済統制。そして国民総動員ですべての問題は解決するというものです。金持ちから収奪して庶民の生活をある程度安定させ、食糧不足は統制で乗り越える。毛沢東時代には実際にそれをやったのです。

だから習近平主席らにとっての命綱は結局、独裁政権だということです。逆に言えば、独裁政権を守らなければならないから、そのためにはどんなことでも犠牲にする。独裁政権さえ守ることができれば、逆境に勝つことができるという思考回路に徐々になっていく。

そして香港の件で越えてはいけない一線を越えました。

門田　そうです。もうルビコンを渡ったんです。

石平　今の政権の体質からすれば、この一線を越えたからにはもう後戻りはできない。香港の国家安全維持法の最大の意味は、鄧小平以来の改革開放に自ら終止符を打ったということです。それは「今日から中国はすべて鎖国する」という意味ではなくて、改革開放路線に終止符を打ったということ。例えば西側と完全に断絶したとしても、中国はこのやり方で政権を守っていく。

門田　逆に言うと、二〇一九年にその決意を固めたのですよ。要するにアメリカが中国のやり方を「もう許してくれない」とわかったのです。それほどアメリカの姿勢は妥協を許さない強硬さでした。中国人はそれを悟りました。その上は、もう〝対決〟しかなくなったのです。

石平　問題は、アメリカが許さない、国際社会が許さない、そういう状況をつくり出したのは自分たち中国自身だということから目を背けているということです。

門田　ルビコンを渡った意味。国家安全法は実は中国が本土で二〇一五年の七月一日につくったものですよね。その八日後の七〇九事件で王全璋弁護士をはじめとして全国でおよそ三〇〇人を摘発したわけです。国安法はどうとでも使えるものだから、共産党政権に反対する者は誰でも引っ張ることができる。思想統一です。それを香港にもつくりました。

これは石平さんがご指摘の通り、いざというときは内向きに、「独裁」と「締め付け」でいくしかないということです。しかし冷静に考えたら食糧が足りないということは大躍進政策までさかのぼることになる。

石平　食糧が足りないのは、毛沢東時代と比べて贅沢になっただけだと彼らは考えている（笑）。

門田　確かに贅沢になってはいますが、逆戻りは無理でしょう（笑）。毛沢東時代のように「自分たちで耕してなんとかする」って、そんなのもう無理ですよね。エネルギーや食糧の輸入大国である中国は、何千万人が餓死した大躍進時代とは完全に違う国になっているのに、習近平主席だけはいざとなったら「独裁と統制で国内循環でやれる」という幻想を持っているわけです。

「中華民族の偉大なる復興」というスローガンを唱え、「国内循環に戻ればいける」と思っているのは、実は習近平皇帝ただ一人なんですよ。

習近平の幻想と中国の幻想

石平　誰か歴史家が、一九三〇年代、ナチスドイツの初期段階で、四〇年代のあの狂気の沙汰を想像できたか。ああいうドイツになると思っていたか。誰がソ連ともイギリスともフランスとも戦争をし、間接的にはアメリカとも戦争をするドイツを想像できたのか。おそらく誰も想像できなかったわけです。

その方向に引っ張っていったのはヒトラー。彼の幻想が政治体制とプロパガンダを通して、見事にドイツ民族の幻想になってしまったわけです。ドイツ民族は綿密で理性的で、漢民族より優れた論理的思考を持っています。そんな冷静で綿密なドイツ人も全国で狂気の沙汰に陥る。あっという間にですよ。たったの一〇年間です。

この数年間、習近平主席が行っていることも同じです。一〇年前に誰が香港での出来事を想像できましたか。誰もできない。また、今から一〇年後に習近平主席がどこまでやるかは誰にも想像できません。習近平氏本人が何か意外なことで死ぬ、あるいはクーデターが発生して引きずりおろされる。そんなことが起こらない限り、ナチスドイツと同じように悲劇が起こる可能性があるわけです。

門田　実際にすでにチベットやウイグルでは民族浄化が行われており、ナチスドイツ以上の蛮行との見方もあります。

石平　それが国民と一丸となって行われていく可能性がある。習近平主席本人の錯覚と幻想が中国全体としての幻想になり、国民は否応なくその道に連れて行かれる。いや、連れて行かれるというより、多くの国民は熱狂の中で自らついていく。

ドイツ国民も熱狂的にヒトラーを支持しましたね。しかし戦争が終わったらドイツ国民はみんな被害者になっている。中国もそうなる可能性は十分あります。

門田　先ほども言ったように、そして、『疫病２０２０』にも書いたように、コロナ禍で中国人に「欧米への失望」が生まれました。命まで落とさなくてはならないような自由なんて「要らない」と彼らは思ったのです。だから習近平主席の人気は、意外にもアップしたのですよ。「そんなのおかしいだろう」と私が言うと、中国の人は「いや、門田さんは日本人だから」と言います。「見方が違うんだよ」と。

石平　われわれは、当時ヒトラーがドイツ国民になぜあれほど人気があったか理解できませんからね。今、映像を見ると、どう考えてもヒトラーは習近平主席以上のチンピラですよ。どう見ても冷静な指導者ではない。「こいつ病気じゃないか」と思う。

門田　私たちは、習近平氏はとんでもない、世界は地獄を見るぞ、と言ってきましたが、それが中国人には伝わりませんね。

石平　ウイグル人一〇〇万人、二〇〇万人を収容所にぶち込むという発想ができる人間ですからね。どう考えてもおかしいわけですが、残念なことに新型コロナウイルスで習近平政権は救われました。中国は自分たちの独裁システムに自信を持った。そして香港。いくら対外的に失うものが大きくても、香港国安法の効果はジワジワと出てきます。反対派たちはみんな離脱する。反対運動も急速にしぼむ。命の危険があるのですから、当然そうなりますよ。

門田　香港の件について中国人に聞いたらこう言われました。

「門田さん、よく考えてください。武装警察・人民解放軍が投入されて世界のカメラの前で天安門事件のような凄惨な事件が起こり、その場面が映し出されるのと、もう一つは、国安法を通過させて民主派が活動できなくなるのと、どっちがマシですか」

と。それは国安法のほうがマシだというと「そうでしょ。だからやったんじゃないですか」と。彼らは、そういう感覚なのです。

中国人の本音

石平　香港の中の反対運動を許さない、徹底的につぶすという背景には先ほども述べた「百年の恥辱」があります。そもそも彼らの潜在意識の中では香港の存在そのものが恥辱の象徴なのです。だから香港デモなどの反対運動は、中国人からすればただの政治的反対運動ではないわけです。香港はイギリスの植民地になって、やっと祖国に還ってきたのに、帝国主義の手先になって中華民族に盾突いているという意味になる。ですから残念ながら、中国に住む漢民族の大半は誰も香港に同情しない。ここが重要です。

門田　香港に同情している中国人は、実際、ほとんどいませんね。逆に「なぜ香港に対して習近平はこんなに弱腰なのか。おかしいじゃないか」という声のほうが圧倒的です。私も、これには驚きました。

石平　香港の反対運動をちゃんと鎮圧できなかったことについて逆に……。

門田　非難殺到ですね。中国の知識人たち、あるいは亡命してアメリカで活動している人たちとは全然違う。「なぜ若者のこんな活動を許しているのか。こんなことが許されるのか。何をやっているのか」という感じですよ。その声を受けて、中国政府は香港を締め付けてきたわけです。

「華夷秩序」「生存空間の拡大」「百年の恥辱」……。これら全部が相まって、さらに国民の世論に押され、戦車でひねりつぶすよりも「国安法のほうが効果も大きい」となった。日本人や国際社会が思っているのと全く違うんですよ。

石平　ポイントはここ。

門田　『疫病2020』を読んでくれた人にどこが衝撃だったかを聞いたら「中国人の本音」を表した章だという人が結構いました。「本に書かれている中国人の本音が信じられない」と。本土の中国人と自由主義圏に行って自由に発言できる中国人とは違うことは確かですが、話を聞けば聞くだけ、いろんなものがでてきます。

石平　国際社会の秩序、世界の安全と平和を守り抜くために、「中国人の本音」から、中国に対する基本的な考え方、戦略を根本的に見直さなければいけません。中国の天安門事件、そして改革開放以来、中国の独裁者の気まぐれや隠蔽工作一つで世界中で何百万人が死に、何千万人が病気にかかることになった。世界は中国によって大混乱に陥る。すべての病根はここにあります。

今はハッキリいって序の口ですよ。まだかわいいものです。あの帝国がこれから本気になって動きだしたら、今の何十倍の災厄を世界にもたらすかわからない。

われわれは中国に対するすべての幻想を捨てなければなりません。この独裁政権が人民の目覚めで崩壊するとか、あるいは中国が国際社会の普遍的な価値観を受け入れるといった幻想を捨てる。そして最悪のことを想定して中国問題に対処していかなければいけない。

しかも日本はその災厄の最前線にいる。矢面に近いところに立っているのですからね。門田さんの『疫病２０２０』は新型コロナウイルスだけではなく、本当の〝疫病〟を明らかにしました。中国の習近平体制そのものが世界にとっての〝疫病〟です。もちろん中国国民には何の罪もないけれども。

門田　そのとおりです。「この怪物がすべてを暴いた」わけですよね。逆に言うとコロナ禍は、これから悲劇が広がっていくということへの天からの警鐘です。文明社会、自由・人権・民主の自由主義圏に対する天の最後の警鐘なのです。自由主義陣営は力を結集して戦わなければ、〝習近平の中国〟というモンスターの支配下に置かれることになります。まさしく人類の悲劇です。

第六章　属国根性を捨てよ

王毅暴言と属国根性

門田　中国の王毅国務委員兼外相が暴言を吐きましたね。これに茂木敏充外相はその場で反論しませんでした。一事が万事。日本の現状をよく表しています。

巻頭二九頁に書きましたが、あの二〇二〇（令和二）年一一月二四日の日中外相会談後に行った共同記者会見での王毅氏の発言には唖然としましたね。

石平　日本は中国に完全に舐められているんですよ。今、中国は人権問題で欧州各国から批判されているわけです。日本は「クアッド（QUAD、日米豪印四カ国戦略対話）」という「中国包囲網」を推進してもいる。そんな四面楚歌の国際社会だからこそ、中国は習近平国家主席の「国賓来日」を実現したいのです。つまり、中国は日本に頼みごとをする立場なのですよ。

にもかかわらず、王毅氏は日本の首都で「尖閣の領有権」を堂々と主張した。言語道断です。王毅氏には即時帰国を促すべきでした。

門田　日本は即時帰国を促すどころか、菅義偉首相と王毅氏の会談をそのまま行いました。そこでも菅首相は、この発言に対して何の糾弾もしていない。

そもそも王毅氏が来日したのは香港民主派の周庭氏らが収監された翌日です。世界が非難する中での来日。その点でも完全に舐められています。

石平　現に日本の領海が中国に侵犯されているわけですから、まずは強く抗議しなければいけないわけです。中国は喧嘩を売るつもりで来たのですよ。会談がうまくいかなければ門前払いすればいい。そういう気概を持って臨まなければ中国ペースに飲まれるのですよ。

門田　茂木外相はこう述べるべきでしたね。

「中国はなぜ日本の領海を侵すのか。国連調査で大量の石油資源の可能性が明らかになった一九七〇年以前には貴国は全く領有権を主張していない。尖閣はわが国固有の領土であり、領海侵入を固くお断りする」

これを日本の政治家はなぜ言えないのか。茂木氏は記者発表で「尖閣周辺海域に関する日本の立場を説明し、中国側の前向きな行動を強く求めた」と述べたのみ。「前向きな行動を求めた」のでは抗議にもなりません。どうして腰が引けているのか。遠慮しなければならない弱みでも茂木氏は握られているのか。

また、抗議ができないのならなぜ訪日要請を受けたのか。根底にあるのは日本の政治家にある属国根性です。

石平　菅首相は王毅氏と会談する必要がなかったのに会談した。しかも何も言えないのですからね。

門田　菅首相は王毅氏に香港情勢について懸念を表明し「両国の安定した関係が重要。共に責任を果たしていきたい」と述べました。共に責任を果たしていきたい、って何ですか？　中国の人権蹂躙の立場を守るための責任でも果たすんですか？

自由と人権を求める世界中の人々は日本に失望しました。先ほども述べたように周庭さんたちが収監された直後ですからね。日本はどうなっているんだ、なぜ周庭氏らの収監を捉えて強烈な抗議をおこなわないのか、と。私にも理解できませんね。

石平　そのうえ菅首相が中国に対して尖閣諸島周辺での「前向きな対応」を求めた直後に、王毅氏は記者団に対してまた暴言を吐いた。尖閣諸島周辺で操業している日本漁船を念頭に「偽装漁船が繰り返し敏感な海域に入っている。このような船舶を入れないようにするのはとても大事だ」と述べたわけです。

二日連続、日本の首都で日本の主権を公然と踏みにじる暴言を王毅氏が吐いたのに対し、わが国の首相はその人物と和気藹々「協力」を語り合ったのです。このだらしなさ、情けなさは見るに堪えない。菅政権には日本の主権を守り抜く意思と気概があるのかと言いたいですね。

門田　中国の前では何も言えない。ここが問題なのです。

王毅氏は「感染症対策と経済回復で協力する用意がある」との習近平主席のメッセージを伝達しましたが、もちろん謝罪も見舞いもありません。現在、コロナ第三波が拡大し、重症者が増え、経済活動を止めなければならない事態になっている原因は「武漢ウイルス」であることも、日本政府は忘れているのではないですか。

さらに王毅氏は尖閣の漁船に触れ、「日本側が既存の共通認識を破壊」とまで述べている。よくここまで舐められたものです。尖閣について中国人と話し合うと以前に比べて明らかに変わってきていることがあるんですよ。以前は、尖閣、彼らが言う釣魚島ですが、それが自国の領土であることを懸命に話していたんですが、今は薄れてきています。

なぜかというと、実際に「価値」が薄れているんですよ。中国は長年にわたって、東シナ海でガス田調査など、さまざまなことをやってきていますよね。調査と採掘はお手のものですからね。その結果、尖閣の周辺には、あまり海底資源が「ない」ということがわかってきているそうなんですよ。

もともと国連の調査で「膨大な海底資源がある」と言われ始めてから、中国はごり押しを始めている。しかし、それがどうやらたいしたものでないことが段々、わかってきた。だから、そこまで尖閣にこだわらなくてもいいんじゃないか、という考え方が出てきているそうです。

日本との間での領土紛争という象徴的な意味があるので、もちろん引くわけにはいきません。しかし、以前に比べて、明らかに熱は下がっているそうです。私が話を聞いた中国人は、あんなものは要らない、とまで言っていましたね。

逆に、日本最南端の沖ノ鳥島に中国は関心を持っていて、それに食指を動かしているのが気になります。とにかく中国が周辺の領土はすべて、沖縄本島もターゲットにしていることは、さまざまな証言・文献からも浮かび上がっています。要注意ですよ。

日本の指導者が中国にひれ伏す理由

石平　尖閣諸島はまぎれもなく日本の領土です。その尖閣諸島周辺に毎日のように入ってくる中国海警局は、中央軍事委員会指揮下にあるため事実上の軍事組織です。その軍事組織を使って中国はこれだけのことをすでに行っています。

・中国は公船に武器使用を認める「海警法」を発表。
・二〇二〇年だけで尖閣周辺を計三〇〇日以上も航行し、二〇年一〇月一一日には中国公船二隻が尖閣諸島周辺の領海内に過去最長の五七時間三九分も居座った。
・日本領海内で日本漁船を追い回している。
これを見れば、中国が尖閣の施政権について既成事実を積み上げようとしているのだと誰にでもわかる。
ここまで領海を侵されて、既成事実化を謀られているのに、菅政権はなぜ怒らないのか。なぜ日本人は怒らないのか、です。

門田　怒るどころかひれ伏していますよね。何も言えない。
なぜ日本の各界の指導者が中国にひれ伏すのか。私は六つの原因が考えられると思っています。
①中国のカネの力
②脅し
③騙されている
④信念の欠如

⑤想像力のなさ
⑥現実が直視できない

そしてその根底にある最も重要なことは「日本人としての誇りを失っている」ということです。日本人としての誇りがあれば、誰が相手であっても言うべきことは言えます。中国の弾圧に苦しむ人々の声にも耳を傾けますよね。しかし「誇り」がないからそれができないのです。

「王毅訪日」で現政権の対中政策には何も期待できないことがよくわかりました。

石平　日中のある共同世論調査では、中国に「良くない」印象を持つ日本人は前年比五・〇ポイント増の八九・七％です（「言論NPO」と中国国際出版集団による共同世論調査、二〇二〇年一一月一七日公表）。日本人の実に九〇％近くが中国に対して良くない感情を抱いている。その理由で最も多かったのは「沖縄県・尖閣諸島周辺の日本領海、領空の侵犯」で、五七・四％ですよ。それでも中国に反論できない。どうかしているよ。

門田　国民のほぼ九〇％が中国に対して悪い印象を持っている。わが国の領土を力による現状変更で強引に奪おうとしているその国に、政府として毅然と対応できなかった以上、菅首相は日本人の「九割を敵に回した」ことになります。国民の支持はとても得られません。

石平　しかも、王毅氏に目の前で日本の主権を侵す暴言を吐かれて、反論できなかった茂木外相の情けない態度を、外務省幹部は「大人の対応」と弁護しましたね。これほど卑怯にして恥を知らない弁解の言葉を聞いたことはありませんよ。こんな政治家と外務省だから舐められるのです。

門田　外務省幹部は「言い合いになって相手の土俵に乗ってもしょうがないので大人の対応をした」と述べました。この言い訳は、外務省がいかに「中国を恐れているか」の証拠でもありますね。外務省は、チャイナスクールの出身者を中心に陰に陽に中国のお世話になっています。要は「恩義がある」ということです。エリートや、将来使えそうな人間には、徹底的にお世話をし、恩を着せ、あらゆる工作をかけてくるのが中国だからです。

　それをイザというときは使ってきます。李登輝総統の退任後、日本への訪問をめぐって「ビザ問題」が起こったときのことを思い出してください。外務省の中は、上も下も、中国の〝指令〟どおり、自民党に嘘まで言って、李登輝氏にビザを出すことを阻止しようとしました。当時の森喜朗首相の耳にそのことが入って、森首相のひと言でビザが出されたことがありました。

外務省の官僚は「ひょっとして〝主権〟という言葉を知らないのではないか」という声が飛んだほど情けない対応でしたよ。なんでも中国の言うとおりですよ。もともと外務省は、プライド以外は何もない官庁ですからね。誇りもない外交官の集まりに中国と対峙できる人間がいるとは誰も期待していないと思いますが……。

茂木外相の所属派閥は平成研（平成研究会）。もとの田中派、竹下派ですから、中国との関係は、いまだに大変なものです。だから、最初から中国に逆らうような言動など、できるはずがなかった。

しかし、私は、それならなぜ王毅来日を承諾したのか、と思いますね。王毅外相は、八月の欧州歴訪で香港やウイグルの人権問題で各国から非難され、帰国後、中国国内で立場を失いました。習近平氏のEUとの首脳会談の地ならしができず、大非難を受けたのですから当然です。だから日本大使も務めた日本語ぺらぺらの王毅氏は、日本訪問に名誉挽回を賭けていました。日本側は、それに応じてあげたのです。

茂木外相は〝タフネゴシエーター〟として評価され、次期総理候補の一人になっていたのに、国民の前で中国相手に正体がバレてしまいましたね。国家のリーダーを目指す人間には、致命的な失敗でした。どこが〝タフネゴシエーター〟だ、となりましたからね。

中国に毅然と対応できない政治家・政党は国民の信頼を得られません。力による現状変更で膨張する中国への危機感が、国民に浸透しているからです。国民を舐めてはいけません。

石平　先の日中共同世論調査でも明らかですね。しかもその調査では日中関係について「重要」と考える人は日本側では六四・二%となり、調査開始以来初めて七割を切ったということです。

政治は「対中シフト」を

門田　〝大国ニッポン〟の首相、外相、そして与党幹事長が揃いも揃って笑顔で王毅外相を大歓迎したことに世界は唖然としていると思いますよ。

石平　二階俊博自民党幹事長は、あの日中共同記者発表の王毅氏の暴言後であるにもかかわらず彼と会談し、満面の笑みで次のように述べたと「人民網日本語版」は報じています。

「日本側は双方が両国間で必要な人員の往来に便宜を図る『ファストレーン』設置を発表したことを歓迎し、双方がさらに民間友好交流を強化することを希望する。自民党は日中関係の安定的発展の推進に努め、両国の与党交流メカニズムの作用を引き続き発揮し、両国の経済貿易、観光、青少年、女性などの分野で交流と協力を深化させることを望んでいる」（二〇二〇年一一月二六日）

門田　菅―二階―茂木ラインでは中国に弄ばれるだけです。日本は至急、対中シフトの政治を構築する必要があります。

日本では首相・外相・与党幹事長が何の役にも立たないので尖閣のある沖縄県石垣市の市議会が「日本漁船の操業権侵害」として中国外相に抗議決議をしました。二〇年一一月三〇日に全会一致で可決しています。政府や国会議員にとって、本当に情けない話ですよね。

石平　提案者は王毅氏が使った「偽装漁船」という表現に「初めて出てきた言葉だ。意図は不明だが、中国側が今後、日本漁船に対する『取り締まり』と称する活動を強化させるなど、漁業者に危険が及ぶ可能性がある」と危惧していましたね。当然で、ふざけるな、という話ですよ。

門田　日本漁船を「偽装漁船」と言い放ったのですよ。現地は絶対に許しません。政府もたまには「中国への制裁関税発動や、経済交流中止くらいやってみせろ」と言いたいですね。

石平　オーストラリアはモリソン首相が中国に激しく反発しましたが、あれが正常。

門田　新型コロナの発生源に対して独立調査を求める戦いに始まって、凄まじいやりとりをしていますよね。それだけでなく、二〇二〇年一一月三〇日には、中国外務省報道官がオーストラリア軍兵士が子供にナイフを突き付けているように見える画像をツイッターに投稿したことに対しても、激しく抗議しました。

「画像は偽造。攻撃的で不快。中国政府は投稿を恥じよ。謝罪を求める」と即時削除と謝罪を要求しました。国と国民の名誉を守るために中国に臆することなく、毅然と対応している。これが国家としてのあり方です。しかし、日本は政府が上から下まで中国にひれ伏していますから、とても無理です。

石平　怒るべきです。

門田　アメリカのポンペオ国務長官は香港民主派が禁錮刑の判決を受けた際、二〇年一二月三日に即座にこう述べています。

「香港政府の迫害に愕然としている。平和的な抗議を封じるために裁判を利用するのは権威主義体制の特徴。中国共産党が最も恐れるのは国民の自由な言論と考えだということが改めて明らかになった。民主派らの抵抗は人間の魂の証として歴史に残るだろう」

これが自由と人権を守る国家の語るべきことです。

石平　対して日本の茂木外相。

「香港が享受してきた民主的、安定的な発展の基盤となる言論の自由や報道の自由、結社、集会の自由にもたらす影響等について、重大な懸念を持っているとともに、その動向を注視している」

門田　「懸念」も「遺憾」も聞き飽きました。そして今度は「注視」ですか。何の役にも立ちません。やめて欲しいです。

アメリカのトランプ政権は、二〇年七月一四日に「香港自治法」を成立させています。これによって香港の自治侵害に関与した中国を含む金融機関への制裁を可能にしました。中国の香港国家安全維持法への制裁です。さらにトランプ大統領は香港に与えた貿易などの優遇措置を廃止する大統領令にも署名しています。

アメリカは対中措置をこれだけ取っていますが、日本は何かやりました？

石平　ビジネス関係者の往来を再開（笑）。

大厄が一転

門田　アメリカの力が落ちていく中で、日本はどう生きていけばよいのかを真剣に考えなければいけないのです。自由、民主、そして人権という普遍的価値のアジアにおける旗頭であるはずの日本が、どんどん腰が引けてきています。

菅義偉首相は一一月一四日の日中韓三カ国とＡＳＥＡＮ（東南アジア諸国連合）の首脳会議にオンライン参加した後、「ＡＳＥＡＮと日本で『平和で繁栄したインド太平洋』を共につくり上げていきたい」と語りました。

「自由で開かれたインド太平洋戦略（ＦＯＩＰ）」は「対中包囲網」として安倍晋三首相が提唱し、アメリカを巻き込んだもので、安倍政権における日本の外交の基本戦略です。

しかし菅政権において、その「自由で開かれたインド太平洋戦略」の「戦略」が「構想」に変わり、「構想」も消え、そして「自由で開かれた」も消えて「平和で繁栄したインド太平洋」と変わってきています。何に遠慮しているんですか。

これについて茂木外相は「考え方は全く変わっていない」と述べましたが、外務省幹部は「共鳴する国を増やす必要がある。『戦略』と言うとおどろおどろしいということもあるかもしれない」と述べたと読売が報じています（二〇二〇年一一月一九日）。

この忖度ぶりは恐ろしい。なぜそこまで配慮しなければならないのか。改革開放で、カネも、人も、技術も、すべて注ぎ込んで中国を発展させたのは日本ですよ。日本が提供したODA（政府開発援助）も三兆円を超えています。中国に遠慮をする必要など、どこにもありません。

二〇〇〇年頃から盛んに言われた「東アジア共同体」問題を覚えていますか。これは中国が「大歓迎」なんです。「東アジア共同体」では中国がアメリカの力を排除し、自分の勢力を伸ばし、主導権を握ることができるからです。アジア地域における影響力の拡大をはかって、アメリカやEUに対抗するのにもってこいだからです。

日本をここに入れて日米を分断し、安保体制を壊すことができたら、中国はありがたいわけですよ。この構想はずっと続いてきていて、RCEP（東アジア地域包括的経済連携）はその経済的な一環とも見ることができます。

中国の侵略を防衛するためには「自由で開かれたインド太平洋戦略」を中心に、〝アジア版NATO〟を構築すべきです。環太平洋・インド洋条約機構ですね。その理由は後に説明しますがそれしかない。しかし、そこからどんどん、遠ざかっているように思います。

振り返ってみると、コロナ禍では、安倍首相が二〇二〇年三月五日に未来投資会議を開いて、中国で生産されている付加価値の高い部品などの生産拠点を日本国内に回帰させたり、ASEANに分散させるサプライチェーン改革を議論すると発表しました。そして二四〇〇億円超が二〇年度の補正予算に盛り込まれました。国内回帰は二二〇〇億円で、これで中国から引き揚げてきなさいということです。

これに先行分で約五七四億円分の採択が決まり、七月に締め切った二次募集は一六七〇件・約一兆七六四〇億円と、募集額の一一倍もの応募が殺到しました。そして、国の予算の予備費八六〇億円を追加し、一四六件・約二四七八億円分が採択されたのです。

しかし、中国は上半期を過ぎたところで反転攻勢をかけてきた。日本の財界もアメリカ大統領選を睨み、「トランプが負けるかもしれない」と中国との関わり方を保留しました。

安倍首相が敷いた経済での「中国包囲網」の構築はストップしてしまったのです。「反中国」の機運は二〇二〇年後半になってガタガタと崩れていきました。

さらに「バイデンのアメリカ」は対中関税措置を撤廃する可能性もある。ファーウェイへの制裁も完遂できないかもしれない。二〇二〇年が自由主義圏の勝利から、中国共産党独裁政権の勝利へと移ってきてしまったわけです。

そうしてまたぞろ日本の経済界は中国の顔色を見ている。

石平　日本は怪物と戦わなければならないのに、経済界にはその気がない。

「国賓」の重みがわからない日本

門田　そのうえまだ「習近平国賓来日」が消えていない。もし「習近平国賓来日」がこの先に強行されれば、自民党から多くの支持者が離れていくでしょうね。「国賓」は天皇皇后両陛下が真心をこめて、国家の賓客としてもてなします。晩餐会でグラスを合わせることになるわけです。チベット、ウイグル、内モンゴル、そして香港と、多くの人々の人権を弾圧している張本人と日本の天皇がグラスを合わせ、そして歓待する。日本国民を代表して両陛下がそれをされる。これが「国賓」です。
これが行われた瞬間に、「コロナ禍の責任も、人権弾圧も、日本はなんとも思っていません」と世界へ発信することになります。逆にいえば、中国にとってみれば、これを実現すると〝コロナ禍の克服〟と〝世界への罪〟が不問に付されたぐらいの大きな意味を持ちます。天皇陛下の存在というのは、そのくらい大きいですからね。だからこそ中国は実現したいのです。

石平　天安門事件の後、日本はまさにそれをやったのです。天安門事件で国際社会は中国に制裁を行いました。しかし日本は欧米より先に制裁を解除し「天皇陛下訪中」をやってのけた。中国は日本を突破口に制裁を打破したのです。
そして他国の人権問題のみならず、今現在日本では、中国が〝領海侵犯〟を繰り返し、日本漁船が追い回されている。スパイ行為をしたとして現在も中国に拘束されている日本人もいる。それでも「国賓来日」が消えない。

門田　例えばインドの国境でインド軍と中国軍が棍棒で殴り合うなどして、双方に死者が出ましたね。インドは間違っても、習近平主席を国賓待遇で絶対に招きませんよね。

中国は、大和堆でも許可なく魚を獲りまくっていますが、それでも日本人はどうぞどうぞと、それを追認し「心からのおもてなしをいたします」とニコニコしている。本来、そんなことは他国では絶対できない。オーストラリアでそんなことをしたら、間違いなくモリソン首相の首が飛びますよ。

石平　逆に言えば、王毅外相は「習近平国賓来日」を取れたらすごい手柄になります。習近平主席にとって、人権弾圧、民族浄化というマイナスのイメージを払拭する大きなチャンスになりますから。だから、どうしてもやりたくて仕方ない。

門田　どうも日本人が天皇陛下の重みをわかってないのですよ。

石平　なるほど、逆に。

門田　逆に。二〇〇〇年を超える気が遠くなるような「皇統」があるわけですよね。その世界最古の王朝のトップが習近平氏をもてなす。それがいかにすごいことかを、日本人自身がわかっていないのです。

石平　習近平主席はそれがわかっている。わかってるからこそ、習近平氏は副主席時代、日本を訪問したときに民主党政権の小沢一郎幹事長にすがって、強引に天皇陛下との会見にこぎつけた。

門田　「一カ月ルール」を破ってまでね。

　諸外国の要人が天皇陛下との会見を希望する場合には、日程調整のために「一カ月」前までに申請するよう取り決めがあったけれども、それを破った。そして二〇〇九年一二月一五日に天皇陛下は習近平氏と会見することになったのです。

石平　そう、無理矢理日程を入れたのです。中国は天皇陛下の重みをわかっているんですよ。

門田　その会見の直前に、小沢一郎民主党幹事長は大訪中団を率いて北京詣でをしていますからね。

石平　これこそまさに「天皇の政治利用」ですよ。

　東京オリンピックの習近平来日で、天皇陛下との会見の可能性は？

門田　二〇〇九年にも会見しているわけですから、その方向に持っていこうとするでしょうね。実現させたら大変ですよ。

「中国のために働く勢力」

石平　結局、日本にしてもアメリカにしても「中国との戦い」は「国内の戦い」でもある。それが結局、民主主義陣営の弱点にもなります。
独裁中国では「日本のために働く勢力」は最初から許されない。

門田　そんな勢力は、中国にはいませんね。

石平　「アメリカのために働く勢力」もまず中国にはない。
でも、われわれ民主主義国の中にはそういう勢力がいます。「中国のために働く勢力」がいる。民主主義だからどうしても存在してしまう。

門田　各国はそれを阻止するために様々に手を打っていますね。スパイ防止法もそう。アメリカのファーウェイ制裁もそう。米大学内にある「孔子学院」の閉鎖もそう。最近ではノルウェー中央銀行がヨン・ニコライセン副総裁に「機密情報取扱許可」を与えなかったのもそうです。それで副総裁は辞任したわけです。彼は中国籍で中国在住の女性と結婚し経済的援助をしていたという。この副総裁の初任時の機密情報取扱許可はノルウェー財務省が行いましたが、再任時は法務公安省が管轄する専門機関が行ったというわけです。
これが世界の常識ですよ。でもそれが日本にはできない。
前提として「平和を愛する諸国民の公正と信義に信頼して、われらの安全と生存を保持しようと決意」していますからね。

石平　〝平和憲法〟の前文ですね。

門田　「ならず者」が復讐しようというときに日本は憲法改正もできません。

石平　結局、憲法問題にいきつきますね。日本が自分を守るには、誰が見ても憲法を改正しなければならない。アメリカが頼りになっても、ならなくてもです。

〝平和憲法〟の第九条が夢物語で、通用しないことは、まともに考えたらわかるはず。もし、九条がそんなにすばらしい条文なら、世界各国皆、九条を作るでしょうが誰も作っていない。

憲法九条は自国の手足を縛り、逆に戦争を誘うんですよ。侵略戦争を誘うのです。しかし、日本人は一向にそれをわかろうとしない。

第二次安倍政権ができて七年八カ月間、改憲を期待しましたが、残念ながら安倍政権でさえ一向に進まなかった。議論すら進んでいない。安倍さんが本気だったのかどうかは私にはわからない。毎年「改憲」は言うけれども、現実には一切何も進まなかった。それが現実です。安倍政権ですら進まないのなら改憲は遠い。どうして進まないんですか。

門田　政治家に改憲する気がないからですよ。

日本人が長い間、日米安保条約、そして「核の傘」によって平和を維持してきたということは厳然たる事実ですね。〝平和憲法〟が〝平和のもと〟ではない。そして今後、アメリカの力が弱くなっていくという岐路に私たちは立っている。

日米安保条約は、アメリカが日本を共産主義膨張の〝防波堤〟として見て、「日本を守ることがアメリカを守ることになる」から成立していたわけですね。しかし、アメリカは「中国から日本をもう守れませんよ」というところに確実に進んでいます。そのときに、核武装の議論や核シェアリングの議論も含めて国民の命を守るためにありとあらゆる議論をしなければいけないのに、いまだに議論がタブー視されている。

一国では中国を防げない

石平　安倍政権は改憲をしなかった。できなかった。それはおかしい。しかし、やはり国民の間でも改憲の機運はそれほど高まっていないですよね。もし、有権者の七〇パーセントが熱烈に改憲を望むならば、さすがに政権はそれを無視できないと思います。しかし日本国民も「まあ、このままでいいじゃないか」という感じですよね。

門田　「平和ボケ」していますからね。

石平　国民から出ないなら、それこそ政治家が「百年の計」としてやらなければならないはず。例えば一九六〇年の日米安保条約改定のときも、国民の大半は恐らく何もわかっていなかった。安保改定反対の運動をした人もわかっていなかったと言っていますね。しかし、あのときに岸信介首相らが安保条約改定をきちっとやったことで、日本は安定と平和、繁栄を手に入れた。本来ならば安倍さんに「第二の岸」になってほしかったのですよ。

門田　そう思いますね。「自由で開かれたインド太平洋戦略」は安倍総理が提唱し、各国を巻き込んでいったものです。これは「中国包囲網」であり、アメリカ、オーストラリア、インドが賛同し、クアッドに進んでいきました。

一方で安倍総理は特定秘密保護法も平和安全法制（安保法制）も整備し、これが「自由で開かれたインド太平洋戦略」の核である日米同盟の強化につながりました。しかし、憲法改正には至らなかった。憲法改正をして集団的自衛権を明確に獲得しなければ「自由で開かれたインド太平洋戦略」は機能しないのです。

中国の「力による現状変更」はもはや一国では防げません。くり返し言っているように、日米豪印を中心に「環太平洋インド洋条約機構」つまり〝アジア版ＮＡＴＯ〟を構築すべきなんです。共産圏のワルシャワ条約機構はＮＡＴＯに対抗するためにできたものですよね。

フランスを攻撃しようが、ベルギーやドイツを攻撃しようが、どの国にちょっかいを出してきても、全体への攻撃とみなしてＮＡＴＯ全体で反撃するぞというもので、これは強烈な抑止力ですよね。核シェアリングなどもありますからね。さすがのソ連もついにそれを突破できなかったわけです。これによって実際にヨーロッパの平和は保たれてきました。

ですから〝アジア版ＮＡＴＯ〟が必要なのです。これを作れば、抑止力は絶大ですよ。「クアッド」を徐々に拡大していかなければなりません。そして、当然のことですが、〝アジア版ＮＡＴＯ〟は相互防衛でなければ成り立ちません。オーストラリアに「日本がやられたときは助けてね。おたくがやられたときは知らないよ」というわけにはいきませんからね。

しかし、日本は日米安保条約でさえも片務条約です。アメリカが中国と戦争になっても日本は助けに行けないわけです。安保法制で尖閣周辺には助けに行けるようになりましたが、日本国憲法では片務条約になります。

相互防衛は集団的自衛権がなければできないわけですよ。そのためには憲法改正で、集団的自衛権を明確に獲得する必要があります。集団的自衛権は「固有の権利」として国連憲章で認められているわけですが、安保法制整備の際に日本ではやっと「限定行使」が容認された形ですよね。憲法九条の制約があるからです。

私たちの命、そして子や孫の命を守るためには、憲法を改正して集団的自衛権を獲得し、抑止力で平和を守らなければならない。なぜそう主張する政治家がいないのかと思います。実は憲法によって「日本人の命が危うくなっている」わけです。何を置いても、優先順位いちばんで憲法改正をしなければなりません。

石平　それしかないよ。

民主主義国の中国包囲網

門田　中華帝国の暴走について語り合うと大変暗い話が続きますね。

石平　明るい兆しがないわけでもありません。二〇二〇年一〇月六日に開かれた国連総会第三委員会で、ドイツが日米英仏など三九カ国を代表して中国の人権弾圧を厳しく批判しました。「ウイグルの人権状況と香港情勢」を非難する共同声明を発表したのです。この三九カ国に西側先進国はみんな入っています。

門田　しかも、ドイツが先頭に立ちましたからね。これは大きい。民主主義・自由主義陣営の獅子身中の虫みたいなドイツがやったわけですから。

石平　アメリカがもし何らかのことで機能しなくなったらば、むしろ西側諸国の危機感がさらに高まるのではないかとも思います。そういう危機感が各国の連携を促します。ドイツを先頭に三九カ国が立ち上がったのはその兆しとも読める。

対してキューバは四五カ国を代表して、パキスタンは五四カ国を代表して、中国を擁護する共同声明を読み上げました。中国が従えたこれらの国のリストを見たら、もう笑ってしまいます。チンピラ国家ばっかりですから。

門田　「ならず者国家」が目につきますね。

あとはアメリカ議会がバイデン氏を監視して、どれくらい頑張るかですね。とくに民主党のナンシー・ペロシ氏は共和党も真っ青なぐらいの極めつけの〝反中国〟です。同氏を含め、民主党にも反中派は多いですからね。アメリカ議会は満票で対中国法が成立するのですから、党派を超えて反中が多いですよ。すべて人権問題から来ています。

石平　そうそう。香港自治法も、ウイグル人権法もそうでした。

門田　議会がいかにバイデン大統領を監視していくかというのが大きなポイントです。そして日米豪印の「クアッド」を中心としてタッグを組んでいく。フランスも「クアッド」の共同訓練に参加し、連携を強化する方針を明らかにしました。フランスは南太平洋のニューカレドニア、仏領ポリネシアに領土がありますからね。

石平　フランス海軍トップのピエール・ヴァンディエ参謀総長が産経新聞のインタビューに答えて、日米仏の共同訓練を二〇二一年五月に日本の無人島で行う計画があると述べていましたね。

門田　そして日仏協力して中国に対してメッセージを発信するとハッキリ述べています。

「中国に対するメッセージだ。多国間の存在感をパートナーと示し、航行の自由（の重要性）などをメッセージとして伝える。パートナー（になるの）は日米豪印で、国際法の順守の重要性も一緒に訴えたい」「英独も存在感を示す努力をしており、英国とはこの地域に関する構想は認識が一致している。先日、英海軍参謀総長からこの地域

に来年、空母を派遣する計画を聞いた」（二〇二〇年一二月六日、産経新聞）
「クアッド」にプラスしてイギリスも入ってきます。
二〇二一年初めにもイギリス海軍は、空母打撃群を沖縄県などの南西諸島周辺を含む西太平洋に派遣し、長期滞在させる。最新鋭空母「クイーン・エリザベス」を中核とする空母打撃群は、在日米軍の支援を受けるというのですからね。

石平　これは良いニュースでしたね。香港を虐めたことで習近平主席は、往時の大英帝国を敵に回すことに成功しました。「中国包囲網」が徐々にできあがっていく。

門田　民主主義の力に期待したいですね。

台湾の四年間

石平　あともう一つ、台湾に期待したい。蔡英文総統は二〇二〇年一月に再選したので、まだ三年間あります。この三年間、知恵を絞って台湾を守り通して頂きたい。その方法は、中国共産党のやり方に学んだらいいと思います。

第二次大戦で日本が敗戦した後、国民党軍と中国共産党軍が内戦になりました。しかし、当時、中国共産党軍はまだ国民党軍と正面から戦う準備はできていなかった。

そのとき毛沢東は時間稼ぎをしたのですよ。時間稼ぎで蒋介石の国民党政府と和平交渉をした。そのために毛沢東は自ら蒋介石のお膝元の重慶に飛んでいって、和平を求めたのです。

蒋介石は騙されて、結果的に中国共産党に準備の時間を与えました。そうして中国共産党はある程度、準備を整えたところで全面的に内戦を発動したわけです。

蔡英文政権がいかにしてこの四年間を乗り越えるかです。台湾の独立を守るために、時には中国を騙して「一国二制度」について〝話し合い〟をするのも一案。中国のペースに乗ったふりをしてもいい。台湾はそれくらいのあらゆる知恵を使ってバイデン政権の四年間が過ぎ去る時間稼ぎをするしかない。

門田　日本は台湾と運命共同体ですからね。

石平　そうです。台湾は四年間、臥薪嘗胆。臥薪嘗胆で、我慢に我慢を重ねて、台湾を守れるならばどんな手でも使う。

もし台湾がこの四年間を乗り越えることができたら、一つの明るい可能性が見えてきます。逆にアメリカで長期的な共和党政権が誕生する可能性がある。もちろん選挙の不正を正して公正な大統領選が機能したら、ということですが。

日本でも滅茶苦茶な政治をして日米関係を壊しかけた民主党政権のあとには、安倍政権の七年八カ月がありましたね。四年後は例えばペンス副大統領やポンペオ国務長官など、トランプ政権で対中包囲網を敷いた指導者がアメリカの政権を担う可能性もあります。

門田 期待したいね。明るい話をしてくれますねえ（笑）。

石平 ペンス氏とポンペオ氏は、トランプ大統領よりもバリバリ。「反中国」の思想を持っています。だから、もしこの四年間を日本を含む自由主義陣営がなんとか乗り越えたら、次のアメリカは期待できます。

門田 人権についてポンペオ氏には大いに期待できますね。しかし、ペンス氏は一月六日の上下両院合同会議での議長役でも選挙不正に立ち向かうという強い姿勢が見られなくて、保守派を失望させました。キリスト教の福音派をバックにした人物だけに期待は大きかったのですが、完全に萎んでしまいました。

でも私も明るい話をしておきましょう（笑）。二〇二二年にアメリカの中間選挙があります。バイデン大統領がこの二年間で失敗を重ね、中間選挙で大敗を喫する。そして文字通りのレイムダック状態になり、その後、盤石の共和党政権ができあがる。

もちろん不正選挙ができないシステムを創り上げることが前提ですが……。これを期待したいですね。自由主義陣営が敗れるわけにはいきませんから。

中国包囲網の構築と日本の使命——あとがきに代えて

石　平

「中国封じ込め」有志連合

さる二〇二〇（令和二）年一〇月初旬から一二月中旬にかけ、「中国」との関連で一連の目まぐるしい出来事が起きていた。二〇二一年の今になって振り返れば、その一連の動きは全て、今後の世界の対立構造を強く予感させたものだと言える。

まずは二〇二〇年一〇月一日（日本時間は二日）、日本の茂木敏充外相は外遊先のフランスでル・ドリアン外相と会談し、これに先立ちドイツのマース外相ともテレビ会議形式で協議した。この二つの会談を通じて日仏独三カ国外相は、中国が進出を図る東シナ海や南シナ海情勢について話し合い、「自由で開かれたインド太平洋」の実現に向けた連携を強化することで一致したという。

一〇月六日には、日米豪印の外相が東京で一堂に集まり、第二回四カ国外相会議を開いた。上述の日仏、日独外相会談と同様、この会議の中心テーマはやはり「自由で開かれたインド太平洋」の実現である。会談で四カ国の外相は海洋進出を進める中国を念頭に、日本が提唱している「自由で開かれたインド太平洋」構想を推進し、より多くの国々へ連携を広げていくことが重要だとの認識で一致したという。

このようにして、日本の主導下で欧州の主要国であるフランスとドイツ、そして環太平洋地域の主要国であるアメリカとインドと豪州は団結して、中国の覇権主義的な海洋進出を封じ込めようとする姿勢を鮮明にした。上述のような動きは誰が見ても「中国包囲網」の構築を意味するものである。

中国の王毅外相は同一三日、外遊先のマレーシアでの記者会見で上述の「日米豪印外相会議」に触れて、「インド太平洋版の新たなNATO（北大西洋条約機構）の構築を企てている」「東アジアの平和と発展の将来を損なう」と批判し警戒心を露わにした。やはり、日米豪印四カ国の戦略的意図をいちばんわかっているのは中国自身で、自分たちが包囲されつつあることに危機感を募らせているのであろう。

ここで重要なのは、上述の一連の「中国封じ込め」の動きは、紛れもなく日本がイニシアチブをとって推し進めたものであって、日本こそが中心的な役割を果たしているということである。「自由で開かれたインド太平洋」のための日米豪印連合という構想はそもそも安倍晋三前首相が第一次安倍政権において提唱し始めたものだが（注／インド国会での演説「二つの海の交わり」二〇〇七年八月二二日）、安倍氏が首相職を退いた直後の去年一〇月に日本の東京において、世に「クアッド（ＱＵＡＤ）」と呼ばれる四カ国連携の形ができたのである。また、それに先立って行われた前述の日仏、日独外相会談も、明らかに日本の外相を中心に行われた。

つまり、去年一〇月に突如として姿を現したこの「中国封じ込めの有志連合」は二度の安倍政権、とりわけ七年八カ月以上にわたる二度目の安倍政権が日本と世界に残した大いなるレガシーであり、アジアの平和と自由にとっての宝物なのである。

中国と欧米世界の対立

前述の東京会議が開かれた一〇月六日、太平洋の向こうのニューヨークではもう一つ、中国に矛先を向ける重要な動きがあった。この日に開かれた国連総会第三委員会

（人権）の会合で、ドイツのホイスゲン国連大使が日米英仏を含む三九カ国を代表して中国の人権問題を批判する声明を発表したのである。

声明は新疆ウイグル自治区における人権侵害の問題として、宗教に対する厳しい制限、広範な非人道的な監視システム、強制労働、非自発的な不妊手術を取り上げた。声明はまた、六月末に中国共産党政権が香港で国家安全維持法を施行後、政治的抑圧が強まっていることも非難し、中国政府が香港住民の権利と自由を守るよう要求した。チベットにおける人権侵害についても言及している。

この声明には上述の日米英仏以外にも、イタリアやカナダ、そしてオーストラリアやニュージーランドなどが名を連ねている。G７のメンバー国のすべて、そしてEU加盟国の大半がその中に入っている。つまり、少なくとも人権問題に関して言えば今、世界の先進国は一致団結して中国を批判する立場をとり、中国と対立しているのである。

一方の中国は一体どうやって西側先進国に対抗しているのか。実は一〇月五日、同じ国連総会の第三委員会において、中国は一部の国々を束ねて西側に対する「先制攻撃」を仕掛けた。その日、中国の張軍国連大使はアンゴラ、北朝鮮、イラン、キューバ、ジンバブエ、南スーダンを含む二六カ国を代表して、アメリカと西側諸国による「人権侵害」を批判した。

中国自身を含めて上述の国々の一体どこに「人権」を語る資格があるのか疑問だが、それにしても世界の「問題児国家」「ならず者国家」、あるいは「化石のような独裁国家」が中国の旗下に馳せ参じて「反欧米」で結束したこの構図は実に興味深い。これはそのまま、「中国を基軸とした独裁国家群VS.西側民主主義先進国群」という、新しい冷戦構造の成立を予兆するものではないか。

二〇二〇年は一一月に入ってからも、中国と西側諸国との衝突が絶えなかった。一一月一八日、イギリス、アメリカ、ニュージーランド、オーストラリア、カナダの外相は、中国が香港での批判的な声を封じ込めるために組織的活動を行い、国際的な義務に違反していると非難する共同声明を発表した。これに対し、中国外務省の趙立堅報道官は一九日、「（五カ国は）気をつけないと、目玉を引き抜かれるだろう」と、外交儀礼上は普段あり得ないような暴言までを吐いて上述の五カ国を批判した。

一一月三〇日、今度は趙立堅報道官の方から五カ国の中のオーストラリアに喧嘩を仕掛けた。彼はなんと、オーストラリア兵士がアフガニスタン人の子供の喉元にナイフを突きつけているように見える偽の合成画像をツイッターに投稿したのである。それに対してオーストラリアのモリソン首相は激怒して当日のうちに記者会見を開き、画像は偽造されたものだと指摘した上で、「非常に攻撃的だ。中国政府はこの投稿を恥じるべきだ」と批判し、中国政府に謝罪と即時の削除を求めた。

もちろん中国政府はこうした削除と謝罪の要求にはいっさい応じない。趙報道官の投稿した画像は今でもツイッターにアップされたままであり、彼の上司にあたる華春瑩報道局長は連日、オーストラリア政府に反論して趙報道官の投稿を擁護した。

しかし中国のこのような横暴な態度はさすがに一部先進国の怒りを買った。フランス外務省の報道官は同日の三〇日、「投稿された画像は特にショッキングで、コメントは偏っており、侮辱的だ」「中国のような国の外交に期待される手法として不適当だ」と批判した。一二月一日、ニュージーランドのアーダーン首相が記者団に対してこの一件に触れ、「事実として正しくない画像が使われた」と指摘した上で、中国に懸念を直接伝えたと明らかにした。

一二月二日には、今度はアメリカ国務省がこの件に関する態度を表明した。ブラウン報道官代理は、中国共産党がオーストラリアに対して取った行動は「精査なしの誤情報流布と威圧的外交の一例だ。その偽善は誰の目にも明らかだ」と厳しく批判した。合成画像の投稿について「中国共産党は深刻な人権侵害を隠すために誤情報を流してきたが、その共産党にとってさえも更にレベルを引き下げる結果になった」と矛先を中国の共産党に向けた。

このようにして、中国外務省の一報道官がオーストラリアを侮辱するために投稿した一つの画像は、オーストラリアを激怒させただけでなく、その友好国からの反撃を招くこととなった。そしてこの一件は、中国と欧米世界との対立を浮き彫りにしたのである。

「海上の長城」

二〇二〇年一二月五日、「産経ニュース」は、独自の報道として重大な意味を持つ動きの一つを伝えた。自衛隊と米軍、フランス軍が二〇二一年五月、尖閣諸島など離島の防衛・奪回作戦に通じる水陸両用の共同訓練を日本の離島で初めて実施することとなったというのである。

産経記事は「日米仏の艦艇と陸上部隊が結集し、南西方面の無人島で着上陸訓練を行う」と伝えた上で、「東シナ海と南シナ海で高圧的な海洋進出を強める中国の面前で牽制のメッセージを発信する訓練に欧州の仏軍も加わり、対中包囲網の強化と拡大を示す狙いがある」と解説したが、その通りだろう。

ここでもっとも重大な意味を持つのは、訓練が行われること自体よりも、フランスがアメリカとともに参加することである。アメリカは日本の同盟国であるから、日米合同で尖閣防備の軍事訓練を行うのは当たり前だが、フランスの参加は意外で興味深い。つまりフランスは意を決して、自分たちの国益とは直接に関係のない東シナ海の紛争に首を突っ込み、中国と対抗する日米同盟に加わろうとしているのである。もちろん中国からすれば、それこそ自国に対する敵対行為であるが、フランスは一向に構わない。対中国軍事包囲網の前線に敢然と立とうとしているのである。

実は欧州のもう一つの大国イギリスもフランスと同じような計画を持っている。前述の産経記事と同日、共同通信が「英海軍、空母を日本近海に派遣へ　香港問題で中国けん制」という注目のタイトルで、次のような驚くニュースを配信した。

〈英海軍が、最新鋭空母「クイーン・エリザベス」を中核とする空母打撃群を沖縄県などの南西諸島周辺を含む西太平洋に向けて来年初めにも派遣し、長期滞在させることが5日分かった。在日米軍の支援を受けるとみられる。三菱重工業の小牧南工場（愛知県）で艦載のF35Bステルス戦闘機を整備する構想も浮上している。複数の日本政府関係者が明らかにした〉（二〇二〇年一二月五日）

日本国民として中国の軍事的膨張を真剣に憂慮している筆者としては、ネット上でこの記事に接したときには大きな感動さえ覚えた。大英帝国としてかつて世界の海を制覇したイギリスが今、空母打撃群を派遣して日本周辺の海に長期滞在させるのである。「長期滞在」は、パフォーマンスでもなければ単なる示威行動でもない。要するに、イギリスは日米同盟と連携してアジアの秩序維持に一旗あげようとしているのである。その矛先の向かうところは言うまでもなく中国である。

共同通信の記事は、空母打撃群派遣の狙いについて「香港問題で中国けん制」と解説しているが、イギリスがいまさら武力を用いてかつての植民地の香港を奪還するようなことはあり得ない。ロンドンの戦略家たちの視線の先にあるのは当然、日本周辺の海域で軍事的紛争がもっとも起きやすい場所、尖閣や台湾海峡、そして南シナ海であろう。いざとなったとき、イギリスはそれらの海域で「中華帝国」と一戦を交えることも辞さない覚悟だろう。

もちろん、老練な外交大国・軍事強国のイギリスは、一時的な思いつきでこのような意思決定を軽率に行うような国ではない。むしろ深慮遠謀の上でのイギリスの長期戦略だと見ていい。かつての世界の覇主だったイギリスはどうやら、中国こそを戦略的敵国だと認定してこのタチの悪い新覇権国家の膨張を封じ込める陣営に加わろうとしているのである。

そして一二月一六日、大ニュースがまた飛んできた。産経新聞の報じたところによると、ドイツのクランプカレンバウアー国防相は一五日、日本の岸信夫防衛相とのオンライン対談で、独連邦軍の艦船を二〇二一年、インド太平洋に派遣する方針を表明。南シナ海での中国の強引な権益拡大をけん制するため「自由で開かれたインド太平洋」に協力する姿勢を明確にしたというのである。

戦後、軍の対外派遣に慎重だったドイツもついに重い腰を上げて、対中国包囲網の構築に参加することになったのだ。

つまり今年、二〇二一年にフランス、イギリス、ドイツの三カ国の海軍にアメリカ海軍と日本の海上自衛隊が加わって、世界のトップクラスの海戦能力を持つ五カ国海軍が日本周辺の海、すなわち中国周辺の海に集まって、中国封じ込めのための「海上の長城」を築こうとしているのである。

「敵は北京にあり！」

以上に、去年一〇月初旬から一二月中旬までの僅か二カ月余りにおける世界の主要国の動きを概観したが、これらの動きをつなげて考えてみれば、世界の主な民主主義国家は今、二つの戦線において中国に対する包囲戦を展開していることがよくわかる。

戦線の一つは人権問題の領域である。中国共産党政権が国内で行なっている人権侵害と民族弾圧に対して、欧米諸国はもはや黙っていない。中国に「ＮＯ」を突きつけてそのやりたい放題の悪行をやめさせようと、多くの国々はすでに立ち上がっているのである。

ドイツの国連代表が国連総会第三委員会の場で、三九カ国を束ねて中国の人権抑圧を厳しく批判したのはその最たる例だが、民主主義国家のリーダー格のアメリカも、香港自治法やウイグル人権法などの国内法を作って人権抑圧に関わった中国政府の高官に制裁を加えている。

人権問題の背後にあるのは当然、人権を大事にする民主主義的価値観と人権抑圧の全体主義的価値観の対立である。今の世界で人権問題を巡って起きている「先進国VS.中国」の対立はまさにイデオロギーのぶつかり合い、そして価値観の戦いである。そして世界史を概観すればわかるように、価値観の戦い、あるいはイデオロギーの対立には妥協の余地はあまりない。双方が徹底的に戦うことになる。

欧米諸国と中国が戦うもう一つの戦線は、すなわち安全保障、とりわけアジアと「インド太平洋」地域の安全保障の領域である。東シナ海と南シナ海、そして尖閣周辺や台湾海峡などで軍事的拡張と侵略的行為を進め、この広大な地域の安全保障と秩序を根底から破壊しようとする中国に対し、アメリカと日本、イギリスとフランス、ドイツ、そしてオーストラリアとニュージーランド、さらにアジアの大国のインドまでが加わって、政治的・軍事的対中国包囲網を構築している最中である。

逆に言えば、今の中国こそが人権・民主主義など普遍的な価値観の大敵であり、世界の平和秩序、とりわけインド太平洋地域の平和秩序の破壊者となっている。世界の民主主義陣営の主要国であり、世界のトップクラスの軍事強国である米・英・仏・独・日・印・豪が連携して、文明世界の普遍的価値を守るために、そして世界とアジアの平和秩序を守るために立ち上がろうとしている。

その合言葉は、すなわち「敵は北京にあり！」ということなのである。

対中包囲網の当事者・日本

二〇二〇年という世界史上の重要年に、このようにして民主主義諸国は「価値観の戦い」と「平和と安全のための戦い」という二つの戦線で「中国包囲戦」に動き出したわけである。わが日本は、その中で実に中心的な役割を果たしてきている。

前述のように、対中国包囲網の一環である日米豪印四カ国連携はそもそも日本の安倍晋三前首相が今から約一四年前に提唱したものであり、その構築と推進において日本はずっとイニシアチブをとってきている。「価値観の戦い」で西側諸国が一致団結して中国の人権抑圧・民族弾圧に立ち向かうことになったのも、以前からウイグル問題・チベット問題に多大な関心を持つ安倍前首相の働きかけがあったからであろう。

昨年一二月二九日に共同通信が報じたところによれば、安倍政権は二〇一九年「独自に入手した、中国でイスラム教徒の少数民族ウイグル族が強制収容された根拠となる情報」を「米英両政府に提供していた」。アメリカはまさに「これらの情報を基にウイグル族を弾圧したとして中国への非難を展開していた」という。

世界有志連合の中国包囲戦が展開されていく二つの戦線において、安倍政権時代の日本が大きな役割を果たしていたことがよくわかる。もちろん安倍政権の後を継いだ菅義偉首相と彼の政権も前述の日米豪印四カ国連携の推進においては実に見事なリーダーシップをとっていると思う。

日本がこのような大役を果たしていくのは、自国の安全保障の観点からはむしろ当然であろう。日本国にこそ、中国包囲網の構築がもっとも重要な意味を持つからである。日本は領土である尖閣諸島周辺の海が日常的に中国からの領海侵犯にさらされ、生命線である台湾海峡と南シナ海のシーレーンが常に中国からの軍事的脅威に脅かされている。海からの中国包囲網が構築できるかどうかは日本の死活問題なのである。日本はまさにそのいちばんの当事者なのである。

英独仏などの欧州国の海軍は、ある意味では日本を助けるためにはるばるこの太平洋地域にやってくることになる。

当然ながら、日本は海からの中国包囲網の構築で引き続き中心的な役割を果たしていかなければならない。特にこの二〇二一年には、日米豪印連携のクアッドが本格的に始動し、英独仏海軍が日本周辺の海にやってくる。この重要な一年にこそ、日本は全力をあげて各国と緊密に連携し対中包囲網の完成に当たらなければならない。

しかも、一月二〇日に誕生したアメリカのバイデン政権がどのような対中政策をとるか極めて不透明な中では、なおさら日本のリーダーシップの役割が大きなものになる。

もし日本が、この肝心な一年間に対中包囲網の構築を怠ったり、リーダーシップを放棄したりすれば、笑いが止まらないのは中国の独裁者、習近平国家主席である。アジアの安全保障は台無しとなり、日本の主権と領土の保全は危うくなるだろう。日本は今、天国へ行くか地獄へ行くかの岐路に立たされていると言ってよい。

私は一人の日本国民として今、日本国政府と菅政権に心からの願いを届けたい。二〇二一年というこの肝心な一年に、安倍前政権の大いなるレガシーをきちんと継承してもらいたい。その上で、日本はリーダーシップを十分に発揮し、「自由で開かれたインド太平洋」という旗印のもとで有志の各国を一致団結させ、海からの中国包囲網の構築と完成に全力をあげてもらいたい。

それが日本国政府と菅政権が、アジアの平和に対して背負っていくべき大いなる使命であると同時に、われら日本国民に対しての責務でもある。
頑張れ菅政権、頑張れ日本国政府。心からそう叫びたい。

令和三年一月

門田隆将（かどた・りゅうしょう）

作家、ジャーナリスト。1958（昭和33）年高知県安芸市生まれ。中央大学法学部卒業後、新潮社に入社。『週刊新潮』編集部に配属、記者、デスク、次長、副部長を経て、2008年4月に独立。『この命、義に捧ぐ―台湾を救った陸軍中将根本博の奇跡』（集英社、後に角川文庫）で第19回山本七平賞受賞。主な著書に『死の淵を見た男―吉田昌郎と福島第一原発』（角川文庫）、『オウム死刑囚　魂の遍歴―井上嘉浩 すべての罪はわが身にあり』『日本、遥かなり―エルトゥールルの「奇跡」と邦人救出の「迷走」』（PHP研究所）、『なぜ君は絶望と闘えたのか―本村洋の3300日』（新潮文庫）、『甲子園への遺言』（講談社文庫）、『汝、ふたつの故国に殉ず』（KADOKAWA）、『疫病２０２０』『新聞という病』（産経新聞出版）など多数。

石平（せき・へい）

評論家。1962年、中国四川省成都市生まれ。80年、北京大学哲学部に入学後、中国民主化運動に傾倒。84年、同大学を卒業後、四川大学講師を経て、88年に来日。95年、神戸大学大学院文化学研究科博士課程を修了し、民間研究機関に勤務。2002年より執筆活動に入り、07年に日本国籍を取得。14年『なぜ中国から離れると日本はうまくいくのか』（PHP新書）で第23回山本七平賞を受賞。著書に『私はなぜ「中国」を捨てたのか』（ワック）、『トランプvs.中国は歴史の必然である　近現代史で読み解く米中衝突』『中国人の善と悪はなぜ逆さまか　宗族と一族イズム』（産経新聞出版）など多数。共著に『「カエルの楽園」が地獄と化す日』（飛鳥新社）、『リベラルの中国認識が日本を滅ぼす　日中関係とプロパガンダ』（産経新聞出版）など。

中国の電撃侵略
2021－2024

令和３年２月11日　第１刷発行

著　　者　門田隆将　石平
発 行 者　皆川豪志
発 行 所　株式会社産経新聞出版
〒100-8077 東京都千代田区大手町1-7-2 産経新聞社８階
電話　03-3242-9930　FAX　03-3243-0573
発　　売　日本工業新聞社　電話　03-3243-0571（書籍営業）
印刷・製本　株式会社シナノ
電話　03-5911-3355

ISBN 978-4-8191-1395-3　C0095